CHAOJI BAN
MAOXIAN
XIAOHUDUI

超级版
冒险小虎队

间谍在行动

[奥地利] 托马斯·布热齐纳 著

维尔纳·埃曼 插图

江澜 谭方 译

浙江少年儿童出版社

小虎队个人档案

名:碧吉　　　姓:波尔格

生日:6月17日
发色:金黄色
眼睛颜色:海水蓝
个人特点:身边总带着些
　　　　　吃的东西

我喜欢

食物:榛子巧克力
饮料:热带水果饮料
颜色:橙色
动物:美洲驼
音乐:摇滚乐
课程:生物
业余爱好:收藏,写日记

我讨厌

萎靡不振的男孩,老说废话的人,
家庭作业,太短的假期,无视我的
大人

梦想的职业:兽医或飞行员
最大的愿望:有一匹属于自己的马

小虎队个人档案

名: 路克(路卡斯)　　　　　**姓:** 坎平斯基

生日: 7月1日
发色: 稻草金
眼睛颜色: 蓝中带绿
个人特点: 身边总带着
　　　　　百宝箱

我喜欢

食物: 汉堡加薯条
饮料: 柠檬可乐
颜色: 绿色
动物: 狐狸
音乐: 只要是我能跟着哼哼的音乐我都喜欢
课程: 物理,数学
业余爱好: 遥控模型(曾制作了一台会走的冰箱)

我讨厌

思路中断,整洁(我很少有井井有条的时候),为达到目的无所不为的人和自以为无所不知的人

梦想的职业: 发明家
最大的愿望: 拥有一台和我爸爸那台一样好的电脑

小虎队个人档案

名:帕特里克　　姓:施泰因布伦纳

生日:7月28日
发色:黑
眼睛颜色:典型的深棕色
个人特点:总是穿着
　　　　运动服

我喜欢
食物:比萨饼

饮料:冰茶

颜色:蓝色

动物:我的小兔子班尼

音乐:一种节奏较快较强的电子音乐

课程:课间休息

业余爱好:各种体育运动

我讨厌
考试,不光明正大的人,愚蠢的人,
坐火车,穿着太紧并使皮肤发痒的
漂亮衣服

梦想的职业:特技演员
最大的愿望:跳伞

欢迎你成为第四只小虎
请你也介绍一下自己

名：   姓：

生日：

发色：

眼睛颜色：

个人特点：

贴上
你的照片

我喜欢

食物：

饮料：

颜色：

动物：

音乐：

课程：

业余爱好：

我讨厌

梦想的职业：

最大的愿望：

间谍在行动

你就在破案现场!你也要参与破案工作!

你要回答破案时出现的很多问题。

特别重要的提示:在本书末你可以找到冒险小虎队的许多秘密记录和超级绝招。

功能 1·超级解密卡

所有答案都被加密了。请你把超级解密卡放到灰色区块上缓缓转动,直到文字显现。

功能2·搜索格子卡

　　将搜索格子卡放置在插图上,使卡左下方和右上方的两个小孔分别对准插图上作记号用的两个小黑点,然后看一看,你要寻找的目标出现在哪个区域。

搜索格子卡

功能3·密信解读卡

　　解读步骤如下:

　　1. 将卡片放在密信上面,箭头朝上,使每一个格子中都有拼音或汉字,这样,你能看到密信的开头部分。

　　2. 将卡片倒转过来,使箭头朝下,你将看到密信的第二部分。

　　3. 将卡片翻过来,使背面的箭头也朝上,继续读出显露的文字。

4. 再将反放在密信上的卡片倒过来,使箭头朝下,你看到的是密信的最后部分。

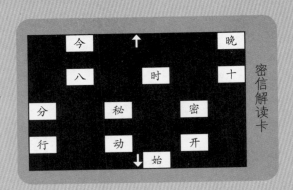

记住:每答对一题,就给自己记 1 分,并将最终得分填在书末的破案成绩卡上。

侦破行动现在开始!

目录

哈里不见了   1

来历不明的公文箱   10

一个把黑夜当作白天的人   16

警铃骤然响起   24

谁能破解密码   32

公文箱中的秘密   39

一只红色信封   47

间谍在行动   54

对手究竟是谁   61

目标被锁定了   68

哪里还有出口   77

真的插翅也难逃吗   83

MULU

树上有个小木屋 91

危险的约定 99

不能道出实情 105

"毒蛇"准备出洞 111

来送信的狗 119

祸起三只信封 127

被迫打开保险柜 136

步步进逼 144

等待陌生人的到来 154

一个灭绝人性的计划 162

噩梦醒来是早晨 169

哈里不见了

"这一下哈里的父母非杀了我不可!"碧吉哭丧着脸,绝望地说,"即使我过得了哈里父母这一关,我的父母也会要了我的命!"

"先不要这么紧张嘛!事情总不至于那么糟糕。"帕特里克把嘴巴凑到碧吉耳边,轻声安抚着她。

"我快喘不过气了,你们走得慢一些行么?"路克跟在他俩后面,满脸是汗。

夏日的热浪像滚烫的毛巾似的覆盖着这个城市,即使是现在——午夜时分,气温也还处在 27℃左右。

小虎队急匆匆地穿行在尼禄广场的地铁站里,那里的通道和楼梯似乎没有尽头。这个地铁站不仅年代久远，而且到了夜里，显得又深又黑。前往狭窄的隧道，就像下到了一个已经停止采煤的矿井一样，让人看不到希望。

　　在地铁的隧道里，天气像往常一样凉快。暗绿色的列车在启动和停止的时候，空气产生流动，以至于让人都有一种感觉：地下在吹风。

　　尽管有些凉，但此时三只小虎个个汗流浃背。尤其是碧吉，她的脸上布满了密密麻麻的汗珠，长长的金发分成好几绺细丝，紧贴在额头与脸颊上。

"哈里！你在哪里？"碧吉不断地呼喊着。起初，她的声音听起来很生硬，带着命令的口吻。一会儿以后却又变得循循善诱，甚至还带着恳求的口吻："请你出来，哈里！"

"哈里！哈里！哈里……"小虎队刚刚跑过的长长的隧道深处一直回荡着被拉长的声音："哈——里！"

"十分钟以后地铁站就要关闭。最后一班列车已经在三分钟前开走了！"路克气喘吁吁地报告。

现在，一些新闻报道在路克的头脑里闪现：在迷宫一样的地铁通道里，常有人迷路，他们好久都找不到出口。因为在尼禄广场下面有四条不同的地铁线路交会，有三条不同的轨道，而每条轨道又在不同的楼层上。

尼禄广场地铁站的规划很差。关于这方面的消息路克也曾在报纸上看到过。这里的铁轨每隔好几年才维修一次。"这里就像是被一头野兽残踏过的丛林。"在市政大厅里,有人曾这样评论过这个地铁站。

与此同时,帕特里克也想起了电视里曾介绍过的"地铁怪物"。据说,怪物栖身于黑黝黝的隧道里,非常害怕阳光。但是按照曾因误了地铁关闭时间而被关在尼禄广场地铁站里的目击者的说法:这个怪物应该只是一个奇丑无比的人,他的脸上长满了毛,长发很蓬乱,走路时上身总是略向前倾,活像一只大猴子。

"哈里,求求你,快出来吧!你肯定找到了最好的藏身地。你赢了。你可以得到一份

冰淇淋和一辆漂亮的玩具车。"碧吉大声地许诺。

哈里六岁，是一个精力旺盛的小男孩。为了在假期里挣一点儿零花钱，碧吉每周看护哈里三次。这个星期三正好是儿童节，碧吉带着哈里到一个人工湖去游玩。美丽、炫目的烟花照亮了夜空，直到晚上十点半，碧吉和哈里才坐上了回家的地铁。

途中，兴奋异常的哈里突然高声地对碧吉说："我们打赌。我可以把自己很好地藏起来，而你根本就找不到我。"

已经精疲力竭的碧吉微微一笑，没把这话当真，可没有想到哈里很快就想证明他捉迷藏的才能。

除了他们之外，地铁里只坐了三个人。在尼禄广场站只有碧吉和哈里下车。当时，哈里突然挣脱碧吉的手，跑开了。他跑进一个交通隧道，尽管哈里最多只领先十米远，可是在隧道里，碧吉还是失去了目标。哈里转眼间消失得无影无踪。

碧吉像个无头苍蝇似的四处寻找，却久久找不到这个顽皮的小家伙，于是她只好打电话请路克与帕特里克赶快来帮忙。现在，三只小虎花了一个半小时的时间，找遍了所有的通道，仍然没有发现哈里。

　　碧吉的心都快蹦到嗓子眼上了。如果哈里遭遇了什么不测，那该怎么办？也许他在轨道上跌倒了？也许……无论如何，等待她的将是无法想象的可怕后果。

　　"假如哈里真的遭遇了什么不测，我永远也不会原谅自己的！"碧吉开始在流泪了。

　　路克用手臂抱住她的肩膀安慰她："就我对哈里的了解而言，他肯定在这里找到了世界上最好的藏身之处，正蹲在那里窃喜呢。"

　　"一般来说，每个地铁站都有一个管理员。"帕特里克突然想到了这一点。但很遗憾，上面入口处的小房子是空着的。

　　路克擦了擦眼镜，抬眼望着碧吉："我们必须回到你们下车的那个站台去。我要再仔细看看哈里跑进去的那个隧道。"

"可我们至少已经在那里找了十遍!"碧吉甩开路克的手臂,绝望地摇着头。

"我要再去一趟!"路克固执己见。

正当三只小虎准备返回的时候,电梯停了。也就是说,地铁站马上要关闭了,他们会被锁在里面的。

"无所谓,如果那样的话,我们就叫警察来为我们开门!"路克高高地举起手机。

现在,三只小虎别无选择,他们只好爬楼梯了。碧吉带领着伙伴,气喘吁吁地跑回最下面的站台,来到一个椭圆形的通道里。

突然,他们头上的霓虹灯熄灭了。帕特里克发出一声惊叫。一时间到处一片漆黑。但是,接着微弱的白炽灯亮了,发出昏暗的灯光。

"应急灯。"这是路克的声音。好在他总是随身带着自己的百宝箱。只一会儿工夫,他就掏出了三枝手电筒:一枝灯光强,两枝灯光弱。

7

手电筒的灯光在通道的拱形墙上摇曳。墙上张贴着海报,帕特里克在海报上发现了一个重要的线索。

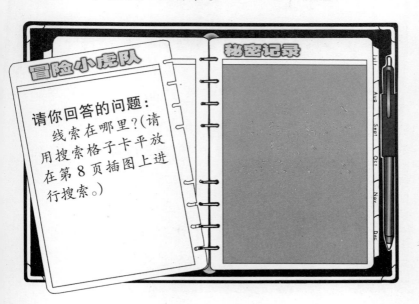

冒险小虎队

请你回答的问题:
　　线索在哪里?(请用搜索格子卡平放在第 8 页插图上进行搜索。)

秘密记录

来历不明的公文箱

"你是说哈里躲在这里面?"碧吉怀疑地摇摇头。

"我认为那个小淘气包什么事都做得出来。"帕特里克还沉浸在自己的"伟大"发现的喜悦中。

路克跪下身去,打开只是虚掩在通道入口处的栅栏。栅栏的口子足够大,哈里可以钻进去。路克趴在地上,把头探进去,一股冷气扑面而来。他小心翼翼地将拿着手电筒的手伸进去,手电筒照亮了里面的井道。

"你看见他了吗?"碧吉紧张极了,不停地用手指拨弄着耳边的几缕头发。

栅栏里面是一个约一米高的方井。墙上和地板上都覆盖着厚厚的黑色灰尘,上面可以清晰地看到哈里留下的小脚印和小手印。

路克的耳朵里充满了可怕的"嗡嗡"声。对此,路克作出这样的判断:在突出地面的井道顶部,有一个功率强大的通风机在工作,它把外面的新鲜空气吸入,然后往下面吹。这"嗡嗡"声一定是从那里传过来的。

这时候,有人在使劲拍打路克的背脊。路克只好把头从方井口抽出来。

"你没听见我在问你吗?"碧吉在大声说话。

"没有。通道里面的噪音很大。"路克揉了揉耳朵,小声地解释。

"你找到哈里了吗?"

"他应该在里面,可我看不到他!"

碧吉立刻趴在地上。她轻巧地缩起肩膀,把上半身伸进栅栏口。在"嗡嗡"的噪声中,她大声地呼喊着哈里的名字。

她喊了很多次,却没有人回答。她的心渐渐缩紧了,沮丧地准备从里面退出来。

忽然，碧吉迟疑了一下。她听到了什么？有一个声音在呼唤她吗？

"喂？哈里！"碧吉大声喊道。

由于凉风嗖嗖，远处传来的声音十分微弱："碧吉……我害怕……"

一个生命的信号。碧吉的心在狂跳。

"哈里，过来！你在哪里？"碧吉的声音中带着哭腔。

"那人还在吗？"里面传来哈里颤抖的声音。

"这儿只有帕特里克和路克！"碧吉告诉哈里。她了解哈里，他是个无所畏惧的孩子，但有时会因此而陷入险境。现在，一定有什么东西让他非常害怕。

"那人真的走了?"哈里问。听这声音,哈里好像突然离得更远了。这让碧吉更加担心。

"除了我们,这儿没有别人,真的没有!"碧吉向小男孩保证。

然后是令人窒息的寂静。碧吉感到她的心跳都要停止了。终于,哈里脏兮兮的小脸出现在手电筒的光照下。他的淡黄色T恤和蓝白条的短裤上沾满了灰尘。不过小家伙没有趴在地上爬,而是跌跌撞撞地走

过来了。当他靠近一些的时候,碧吉看到他的手上竟拖着一件什么东西。

当碧吉把脏兮兮的哈里从栅栏里拉出来时,帕特里克和路克都松了一口气。

哈里手里提着一只铝制的公文箱。那箱子和他本人一样肮脏。

这会儿,碧吉的脸上全是泪水。她跪在哈里面前,把他紧紧地搂在怀里。哈里迷惑不解地看看她,然后看看两个男孩儿,好像要说:真是女孩,这么容易哭。

路克过来为碧吉说话:"嗨,我们都为你担惊受怕得要死了!你为什么一直躲在洞里不出来呢?"

哈里默默不吭声。箱子看起来很重,小家伙必须用两只手拿着。

"我捉迷藏时躲进了通道入口的栅栏,没一会儿,我看到有个吹口琴的男人爬进来了。可是很快那个人就出去了。"哈里用鼻音讲话,声音很激动的,"他把一个公文箱放了进去,然后就走了。接着,又有个人把栅栏拿掉进来了。他看见我后很生气。他想要公文箱,可我没给他。那人说,如果我不把公文箱还给他,他就要打死我。"

　　剩下的事情小虎队可以猜想到了。哈里躲起来了,拖着公文箱消失在通风管道里了。

　　碧吉和同伴交换了一个充满疑惑的眼神。如果哈里说的是真话,那就意味着……

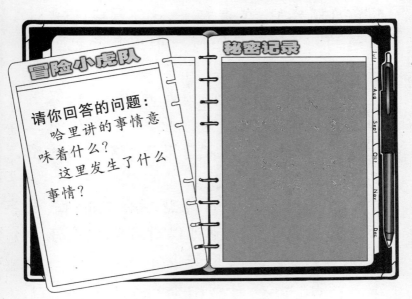

冒险小虎队

请你回答的问题:
　　哈里讲的事情意味着什么?
　　这里发生了什么事情?

秘密记录

一个把黑夜当作白天的人

路克求了好多次,哈里才把公文箱交给了他。路克把箱子高高地举起来,从不同的角度观察它。乍看起来,这不过是只普普通通的铝皮箱,在任何一个出售箱包的商店里都能买到。

公文箱上有两把锁着的密码锁,只有知道正确的密码才能打开。每个密码有五位数,这很少见。通常情况下,这种锁的密码只有三位数。

路克把耳朵紧紧地贴在公文箱上,小心翼翼地晃动它。他可以听到里面有东西在滑动,但是这东西好像不太大,也不太重。只有哈里这样的小不点才会觉得箱子十分沉重。

"里面装的可能是纸张或者是别的什么硬东西,但并不是真的很硬很重。"路克的话让人摸不着头脑。

"你就像在打哑谜一样。"帕特里克朝路克撇了撇嘴。

"嘘!有声音。"碧吉抬起手,示意男孩子们闭嘴。为了不发出一点点声响,她屏住呼吸,悄悄地把头转过去。哈里很恐惧,身子紧紧地靠着碧吉。

帕特里克和路克也听到了声音。有人在远处的什么地方大声唱歌。唱的是一支经典曲子,电台里还常常播放这支曲子,是有关"一年中最美好的一夜"的。

碧吉倒抽一口冷气,轻声问男孩们:"这会是谁呢?"

路克认为是一个守夜人,他在这里检查是否有人偷偷留宿。帕特里克则想到了神秘的地铁怪物。帕特里克的脑子一想到怪物,他的胳膊上立刻鼓满了鸡皮疙瘩。

一只狗叫了起来,那是一声低沉而又紧

张的叫声。这只狗一定不小,而且听起来它似乎已经嗅到了小虎们的气息。

歌声停止了,那只狗也安静了下来。

碧吉、帕特里克和路克都屏住了呼吸。哈里用因为恐惧而张大的眼睛来回扫视着他们。

路克弯下腰,小声安慰哈里:"可能是守夜人,一定是他。他正在巡查企图把这里当作宿营地的流浪汉。"

帕特里克摇了摇头。"那下面……"他指着声音传来的方向,"一定有人通过地下通道的管子过来了。"

碧吉觉得这种想法很可笑。有时帕特里克过分胆小,以至于不能把他说的话都当真。

"我们最好告诉守夜人我们在这儿,好让他把我们放出去!"还没征得大家的同意,路克就清清嗓子,大声喊道:"喂,我们在这儿!我们被锁住了!请您帮帮我们!"

没有人回答。他们只能听到狗爪子在用力地扒石头的声音。很快,从角落里奔出一只毛茸茸的棕色动物,乱糟糟的鬃毛让人一时无法辨认出它的头在哪里、尾巴又在哪里。它兴奋地跳跃着,三只小虎立刻本能地站在哈里前面,唯恐狗伤了哈里。

这只狗在离他们几步远的地方站住了,大声地呼唤着它的主人过来。

通道的尽头有一道很亮的光束在地面上跳动。一个高大的黑影出现在拐角处,用手电筒照着三只小虎和哈里。手电筒的光线很刺眼，三只小虎不得不用胳膊遮住眼睛。

因为迎着光，他们看不清来人的模样。

"你们怎么会在这儿？"那人用低沉而沙哑的声音质问。

"一个小孩儿忽然不见了，我们必须找到他。"碧吉回答了一半，突然缄口不言了。那人走近了一些，现在可以清楚地看到他的模样了。

他不是什么守夜人！

帕特里克倒吸了一口气，吃惊地低呼一声："地铁怪物，一个把黑夜当作白天的地铁怪物。"

碧吉和路克也知道这个传闻，却从来只把它当作故事听。但现在，站在他们面前的这个人的模样与目击者们对那怪物的描述像极了。

他的长发乱蓬蓬地结在一起，身上穿着一件宽大的外套。手电筒的余光落在他的脸上，他的下巴被散乱的胡须遮着，眉毛

几乎触到了额头上的发根，连脸颊上都长满了毛发。

"别出声!"这个可怕的人低声说道，"我看起来很可怕，其实并不是。"

"真的?"帕特里克胆怯地挤出这句话。

那个人突然干笑起来："你凭什么认为我躲在下面的管子里，又凭什么认为我把黑夜当作白天?"

碧吉猜到了问题的答案。在这个城市里，因为这个人毛发浓密，面容丑陋，行为怪异，人们都像躲避麻风病人一样躲着他。

那只狗依偎在主人身边，乖巧地用后腿蹭着自己的脑袋，那人亲昵地用手抚摸着它。

三只小虎和那人面对面静静地站着。他们迟疑着，不知是否应该相信他。

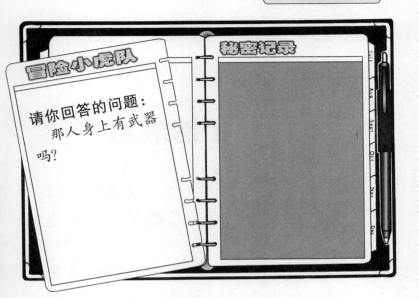

冒险小虎队

请你回答的问题：
  那人身上有武器
吗？

秘密记录

警铃骤然响起

那人察觉到三只小虎疑惑的目光时，下意识地抓紧了别在自己腰带上的那根棍子。

"地铁通道里有时会有不愿被人发现的可疑人物出没，"他解释说，"我拿着这个东西不过是为了自我防卫。"

路克点了点头，却没有被完全说服。

那人无奈地耸了耸肩膀："我不能逼迫你们相信我，但我可以带你们到外面去。"

碧吉用目光询问男孩子们。帕特里克摇了摇头。这时，躲在碧吉身后的哈里却不安分地挤到前面，张大嘴巴，目不转睛地看着这个可怕的人，然后把脸转向小虎们，天真地宣布："他就像电视里的人，丑陋无比，但有一副好心肠。"

小虎们禁不住笑了,连那怪人的脸上都露出了一丝快乐的笑容。他再一次细细地打量着小虎们。

"我在什么地方见过你们吗?"

"即使见过,我也不知道在什么地方。"碧吉仍然心存戒备。

"我读过许多的报纸,我在报纸上见过你们的照片,我的记忆不差,我说的没错吧?"

路克自豪地点点头。关于小虎队成功地侦破一系列疑案的过程已经有很多报道了。路克正想炫耀一番,谁知那人已掉转头走开了。

"很晚了,你们早就该在家里了。"那人嘟囔着,不耐烦地用手势示意小虎们跟上他。小虎们照做了,碧吉还牢牢地牵着哈里的手。

那人走到地铁站站台上,在一幅发黄的海报前停了下来。海报上有一个充满阳光的沙滩。那人在墙的四周摸索着,推一下,拉一下,竟像开门一样把这张海报卷了起来。他指指黑乎乎的洞口,做了一个明确的"请进"的手势。

"请吧,这是通向地面最近的路!"

小虎们用手电筒照在洞内满是灰尘、生了锈的金属阶梯上。陡峭的阶梯呈"之"字形通向上面,望不到尽头。走了没多久,碧吉、路克和帕特里克的腿就开始酸疼起来。哈里更是每走一步就呻吟一声。

大约走了十几分钟后,那人从口袋里掏出一串叮当作响的钥匙,打开了一扇金属大门,闷热的空气一下子迎面扑来。

　　小虎们定睛细看,他们已经站在一条安静的街道上,两盏光线微弱的街灯在黑暗中摇曳。

　　路克指指身后的阶梯井,问道:"这是您建造的吗?"

　　"不是!"那人又干笑起来,"这是紧急出口和修理井,有好几个呢。其中有些完全被人遗忘了,我却记得所有的。"

　　"你叫什么名字?"碧吉对这个丑陋的男人十分好奇。

　　那人迟疑了一下,说:"我以前叫什么并不重要,现在你们就叫我莱昂纳德吧。"当他看到路克拿着的铝皮箱时,不禁皱起了眉头。"这个铝皮箱会给你们带来很多麻烦的!我知道是谁把它带到这儿来的,也知道它意味着什么。"

　　三只小虎紧张地看着莱昂纳德。

　　"是吗?那意味着什么?"路克警觉地问。

　　这时,警车的警铃骤然响了起来,声音听着似乎离他们很近。几秒钟后,一辆闪着蓝灯的警车拐进了街道。

莱昂纳德这时的动作让碧吉想起了吸血鬼躲避第一缕阳光的样子。他双手捂着脸，倏地退回到金属大门内。那只大狗对着警车发出"汪汪"的叫声，可马上就被莱昂纳德粗暴地强行拖进黑暗中去了。

"扔掉这只铝皮箱！"临别时，莱昂纳德警告小虎们，然后他"砰"的一声关上金属门，又从里面插上了门闩。

就在警车的前灯照到小虎队和哈里的身上时，莱昂纳德消失了，再没有留下什么痕迹能让人记起小虎们与他的不期邂逅。

警车在急刹车后停了下来。驾驶座和副驾驶座旁边的门都打开了。两个警察从车上跳下来，快步走向小虎队。警察的阵势让三只小虎无路可走。

路克、帕特里克和碧吉不由自主地靠在了一起，警察严厉的目光中透着叫人心慌的寒意。哈里发抖的小身子紧紧贴在碧吉的大腿上。

碧吉看到两个警察默不作声地交换了一下眼神，又相互会心地点点头。其中年纪较大的那个人蹲下身子，把手伸向小男孩。

"你叫哈里吧?"他用温和的声音问。

哈里固执地紧抿着嘴，不肯说话。

警察握着哈里的手腕，想把他拉向自己的怀抱。

"不!"哈里提出抗议，他像条小泥鳅似的挣脱开来，双臂死死地抱住碧吉的胯部。

"你们也过来。"两个警察张开胳膊，不客气地把三只小虎向警车的方向推。

"我们……我们能够解释这一切。"路克开始说话。警察挥挥手拒绝路克开口，"晚点再说，现在先去警察局。"

"看来遇到大麻烦了。"三只小虎几乎同时有了这样的预感。

当三只小虎和哈里一起坐上警车的后座时，路克进一步确认了眼前的情况有多严重。看来小虎队可能与某个可怕的嫌疑有牵连。

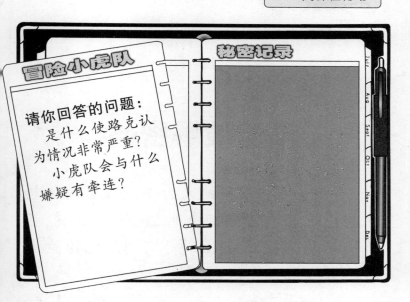

冒险小虎队

请你回答的问题：
是什么使路克认为情况非常严重？
小虎队会与什么嫌疑有牵连？

秘密记录

谁能破解密码

"哈里！"当拉特纳太太——哈里的妈妈看见儿子被警察领回来时，她张开双臂，在警察局的石头地板上跪了下来。她的脸上淌满了泪水。

"妈妈！"哈里奔向母亲，紧紧地扑入她的怀抱。拉特纳太太的目光越过儿子的肩膀，与碧吉的目光相遇。看得出，拉特纳太太对碧吉充满了敌意。

拉特纳先生在哈里身边蹲下来,哈里转身投入爸爸的怀抱。与此同时,拉特纳太太站起来,走向碧吉。她的眼睛因气愤已眯成了一条线:"我要让你以后再也没法为别人看孩子了!我敢说你绑架了哈里!"

碧吉举起手为自己申辩:"不是这样的,我可以解释这一切。这不是我的过错,哈里突然就⋯⋯"

拉特纳太太粗暴地打断了碧吉的话:"你想说这是哈里的错?这完全不合情理!"

"等一下,"路克忍不住插嘴,试图缓和紧张的气氛:"我们帮着碧吉寻找哈里。他跑丢了,不小心卡在一个通风管道里。"

不料,拉特纳太太一听更生气了:"就因为碧吉没看好哈里⋯⋯一个通风管道里⋯⋯"她激动地把手伸向天空比画着,"你把我孩子的生命置于危险之中。碧吉,我无法宽恕你!"

哈里挣脱了父亲的怀抱,咿咿呀呀地说:"来了个野人,又有个人带来一只公文箱,另一个人想要取走它,还有只狗。"

拉特纳太太疼爱地把哈里拥入怀中:"是他们叫你这么说的吗,亲爱的?"

哈里使劲摇了摇头。

警方通知了小虎们的家长,同意他们到警察局来领孩子了。家长们听说三个孩子安然无恙,都松了一口气,并以最快的速度赶到了警察局。

碧吉的妈妈——波尔格太太满脸严肃地听着拉特纳夫妇对碧吉的指责,但从碧吉埋着头一脸委屈的样子中她可以看出,小哈里的父母讲的并不是事实。

"我们最好明天再谈这件事。睡一觉,一切都会好起来的。"波尔格太太建议。幸运的是,拉特纳夫妇并未起诉。警察们祝大家晚安,并用手指敲击帽檐,以示告别。

父母们的理解使小虎们松了一口气。因为三只小虎的父母们都知道自己的孩子很有责任感,并相信了他们关于哈里和捉迷藏游戏的说辞。

碧吉晚上很晚才入睡,第二天早上很早又醒了,她不断地想起前一天晚上的经历。睡眠不足让她困乏,可又怎么也睡不着了。

碧吉吃早餐的时候,路克打电话过来了。

"十点钟在秘密据点会合。"路克倒豆子似的蹦出一句话后,连再见都没说就挂了电话。

让小虎队甚感自豪的秘密据点就在一家中国餐馆——金虎餐馆的地下室里。它的入口处隐藏在一座金色老虎雕像的后面。

小虎秘密据点里摆设着三人收集的许多东西。其中有:一台联网电脑、一个藏有必要书籍的小图书馆、一个微型实验室、帕特里克的三台健身器和碧吉的一盒榛子巧克力。当然还少不了小型电视机、收音机和无线电设备。在一个可以锁起来的柜子里,保存着路克的侦探工具,这些都是他日复一日收集来的,里面甚至还有一个撬锁工具,可以用来打开几乎所有的锁。

碧吉赶到秘密据点时,路克已经坐在写

字台旁边了。那只银灰色的公文箱端端正正地摆放在写字台上面,路克正在用放大镜仔细地观察着箱子的每一个角落。很快,路克就头也不抬地报告了新发现:"如果我没搞错的话,这个东西设有机关。一旦强行打开公文箱,就有引起爆炸的可能。"

"别碰它!"为了安全,碧吉远远地站在门旁边。

"我没打算撬开它。但我们终究想要知道里面有什么。"路克皱着眉头嘟囔着。

这时候,碧吉的背"砰"的一声,结结实

实地和门撞在了一起，碧吉嘴一咧，痛苦地呻吟起来。

"对不起，"正从外面闯进门来的帕特里克抱歉地用手挠挠脑袋，"可我实在没办法透过门看到或闻到你碰巧站在这里。"

"有趣！"两人正要发生争吵，却听到路克在喃喃自语，"非常有趣。"

碧吉和帕特里克终究没有吵起来。

路克把公文箱翻转过来，使箱底朝向自己。他指着公文箱边缘上的一条加固铁条说："看放大镜里！"

碧吉往路克手指的方向看了一眼，就明白路克的意思了。铁条上刻着一行很小的字母。虽然一下子还看不懂是什么意思，但其中一定深藏玄机。

DRNIKIVSNLMEXWOBANKREVDFLMORDUKSRMXEDUIDFGTKHGHTPQZZYEDVRBAO

"我敢打赌,这是给接收者的信息。"路克十分肯定地说。

帕特里克用手指梳理着结在一起的头发:"为什么要这样呢?信息保存在公文箱里不是更好?"

路克若有所思地用嘴叼起一根牙签:"这里也许暗藏着能打开密码锁的密码。"

碧吉抓过一张纸条,抄下这些字母。她读着这一串长长的字母,陷入沉思中。信息藏在哪里呢?

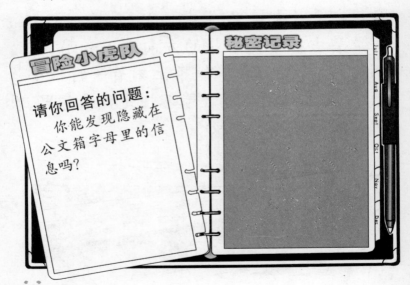

冒险小虎队

请你回答的问题:
你能发现隐藏在公文箱字母里的信息吗?

秘密记录

公文箱中的秘密

三只小虎屏住呼吸，盯着路克在纸条上一笔一画地写下一行字：91480

"狡猾的把戏。"路克嘀咕着，习惯性地用手扶了扶眼镜架。

"这是密码锁的密码。"帕特里克兴奋地大叫起来。

路克瞥了他一眼，讽刺道："你不说就没人知道了？我还以为我得了六合彩大奖的中奖号码呢！"

"停！"这时候，碧吉可不想听两个男孩斗嘴。

帕特里克顺从地冲着碧吉笑笑，拿起一对哑铃。他兴奋的时候，总喜欢通过运动来稳定情绪。

"你们有时候就像两个上幼儿园的孩子,真讨厌!"碧吉白了两个男孩一眼。

"对不起,碧吉阿姨!"路克学着小孩子奶声奶气的腔调,向碧吉做了个鬼脸。

三个人都不由自主地笑了。但马上,他们的注意力又集中在那只铝制公文箱上了。

"我们该不该试试这个密码?"路克征求两个朋友的意见。

碧吉坚决反对:"这样的东西一定设有保密机关。可能会有麻醉气体涌出或者发生其他什么可怕的事情。"

帕特里克也同意碧吉的看法。

"那我们现在拿着这个东西干什么呢?干瞪眼吗?"路克生气地一拳打在桌子上。在路克的拳头落在桌上的时候,铝制公文箱微微跳了一下,随即又弹回到桌面上。随着一声轻微的"叮当"声,有什么东西掉到了地板上。

三只小虎赶紧盯着脚下的地板寻找。很快,帕特里克弯下腰,捡起一块四边光滑的长方形物体。这东西是扁平的，还没有他的小拇指大。

　　路克责备帕特里克不该用裸露的手指直接接触重要证物："这样的东西总是要用镊子夹才行。"路克小心翼翼地用一枚长镊子把这块牌子夹了起来，放在放大镜下翻转、

查看。却没有发现什么不同寻常的地方。

"这是从哪里掉下来的?"碧吉思考着。

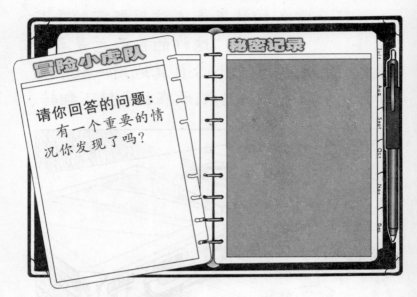

路克不得不承认,碧吉的谨慎是正确的:"如果我们把密码输入其他两把密码锁里,一定已经触发了某个破坏机关。"

碧吉无暇去回味路克赞赏的目光。她看到路克将五位数密码输入新发现的密码锁时,手指有些发抖。

齿轮转动起来很不容易。

终于，密码锁发出"咔嚓"一声，这声音令人想起打嗝的声音。公文箱盖微微弹起一个手指的高度。

就在箱子开启的一刹那，帕特里克和碧吉本能地向后退了一大步。连坐在椅子上的路克也把椅子向后滑动，离公文箱远远的。

他们成功了，公文箱打开了。但他们还看不到里面的东西。路克用充满疑惑的目光看着两个队友。碧吉和帕特里克轻轻点了点头，示意路克继续下一步的工作。路克又把椅子滑回到桌边，慢慢地伸出手，把公文箱的盖子抬了起来。

箱子里的东西不多，只有三个不同颜色的信封：一个是棕色的，一个是橙色的，还有一个是红色的。信封上用很粗的荧光笔写着"一"、"二"、"三"。

路克只稍稍迟疑了一下，便着手工作。他用镊子把写着"一"的棕色信封拿到桌子上。信封口并没有用胶水粘住，而只是折了一下。路克轻轻打开信封，把里面的东西倒在桌子上。

"这是什么照片呀？"碧吉好奇地问。

从信封里掉出来的几张照片的画面并不是很清晰。上面有一个男人，正在一张长桌子前寻找着什么。他穿着一件短风衣，脚上套一双靴子。他有一头乱蓬蓬的深色头发，几缕发丝正湿湿地粘在他的额头上。

三只小虎出神地望着这些照片。碧吉第一个开口说话：

"这发型剪得好难看。"

"除了这个你就想不到别的了？"路克很失望，真不知道女孩子的脑袋里都装了些什么。

"只是想让你轻松一下。"碧吉咧开嘴笑着拍拍队友的肩膀，"不过我还知道为什么这个发型会这么糟糕。"

"这些照片是在哪儿照的？"帕特里克放下哑铃，独自思考着。

"我不知道这张照片具体是在哪儿照

的,可我已经知道它是用哪种摄像器材照的了。"

"你就不能说清楚点儿吗?"路克自以为是的口气总让碧吉恼火。

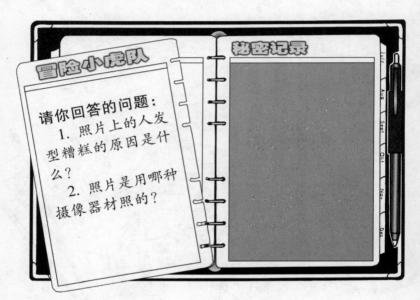

冒险小虎队

请你回答的问题:
1. 照片上的人发型糟糕的原因是什么?
2. 照片是用哪种摄像器材照的?

秘密记录

一只红色信封

"你们认得这个人吗?"路克看看碧吉,又看看帕特里克,可他们都摇摇头。

"从没见过,而且图像太模糊了。"对此,碧吉毫无头绪。

帕特里克指着另外两个信封:"这里面装的是什么?"

橙色的信封上写着数字"二",它也没有封口,里面装着一张叠好的纸。路克小心地用两枚镊子打开那张纸,一栋房子的设计图出现在他面前。许多楼层上都有标记,所有的房间都用不同颜色的荧光笔画了圆形、正方形和曲线等记号。对这张图小虎们都想不出合理的解释。

当路克拿起那个红色信封时,他有一

种不好的感觉。与另外两封信不同，这个信封是被封起来的。

"把它撕开！"碧吉急切地想找到答案。然而路克挥了挥手，拒绝鲁莽行事。他仔细地检查了一下封口处的边角，说："似乎是一个用胶水封住的普通信封。但这种胶水必须加水才能分解。"

碧吉点点头，表示明白："我粘信封的时候，就总是用舌头舔。"

"有一个办法可以打开信封，然后再封上信封而不被发现。"看到队友们都用疑惑的目光看着他，路克继续说道："我必须到金虎餐馆去找一下吴先生。"

几分钟后路克回来了，他从红色信封里抽出一张反光的光盘。

"这是一张唱片吗？"帕特里克问。

"我觉得它更有可能是一张电脑光盘。"路克在他的电脑旁坐下，把银色的碟片推进机器正面的狭长凹槽中，路克按了几个键，电脑随即发出"嚓拉嚓拉"的声音。

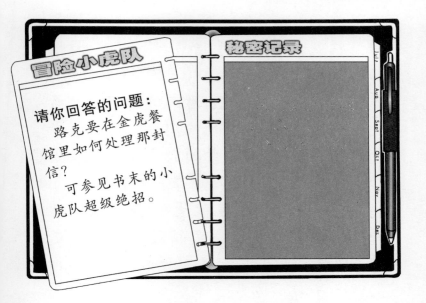

冒险小虎队

请你回答的问题：

路克要在金虎餐馆里如何处理那封信？

可参见书末的小虎队超级绝招。

秘密记录

碧吉和帕特里克的目光越过路克的肩膀停留在荧屏上。

很快，电脑屏幕中出现了一个红色的矩形框，里面有一条狭长的白色区域。

路克长叹一口气，瘫倒在椅子上："这只有一个意思：我们必须输入一个密码。"

"试试公文箱上的密码。"碧吉建议。

路克很快输入了那个密码，得到的却是答案"WRONG"。这是英文，意思是"错误"。

路克紧张地用手指敲打着桌面,神情显得很烦躁。"现在我们胡乱猜想是徒劳的,我们已经遇上高手了,看来破解密码的希望几乎为零。"

帕特里克和碧吉顿时大失所望。碧吉紧皱着眉头从储备箱中拿出一块她最喜欢吃的榛子巧克力,狠狠地咬了一大口:"为什么一个人要把这公文箱藏在地铁里交给另一个人呢?"

关于这一点,帕特里克马上就有了一个合理的解释:"因为藏公文箱的人不想让另外一个人知道他在和谁打交道。"

"但是为什么要给他几张照片、一幅设计图和一张光盘呢?这些东西之间一定有什么联系,可我却想不出是什么联系。"现在整件事情如乱麻般理不出头绪,这让碧吉非常失望。

路克把双手放在脑后,身体大幅度地向后靠着,双眼直勾勾地盯着天花板:"也

许取公文箱的人应该在某个特定的大楼里寻找照片上的人，因为照片上的人需要这张光盘，而光盘的密码这个人一定知道。"

"或者这是一种警告。"碧吉提出了异议，男孩子们用疑惑的眼神看着她。"他要提醒取公文箱的人小心照片上的人。这个人闯入了某个特定的大楼。"

"那么那张光盘呢？它又如何解释？"路克摇摇头，他还在想着另一个问题，"我们现在应该怎么处理这些东西？"

碧吉吃完剩下的榛子巧克力后建议："公文箱放在小虎秘密据点，由路克藏好三个信封，然后，我们可以在地铁站里给取公文箱的人贴一张字条。也许他看到字条后会和我们取得联系。这样我们就能知道更多的情况了。"

对此，帕特里克有不同的意见："这太危险了，和这个公文箱有联系的人一定不是一个平常的人。"

碧吉听到这句话后忍不住笑了起来。她明白帕特里克想要说什么："我们当然不会泄露我们是谁。如果那个取公文箱的人想要拿回这些东西的话，他就应该……和我们联系。"

在碧吉的启发下，路克两眼一亮有了

个好主意:"他应该直接在报纸里登一则广告,标题是'寻新款铝皮箱'。"

"此外,还要报上他的电话号码,然后我们和他联系。"碧吉心领神会地将路克的想法补充完整。

帕特里克并没有被说服,然而他知道碧吉绝不会轻易改变自己的主意的。

碧吉用电脑写了一张字条,并打印了十份。碧吉要求帕特里克和她一起到地铁站去,然后把字条用胶带纸粘到站台通风口栅栏周围的海报上。

"做完这一切,我们就静静地等着吧。"碧吉兴奋地期待着事情朝着自己所想的方向发展。

间谍在行动

他换姓名就像换衬衫一样频繁。有时他早上起来,需要先看一眼当时正在使用的假护照才知道他在这一天是谁。

他能流利地说七种语言,并且身边总是带着整整一箱的假发、假胡须、眼镜、隐形眼镜甚至假牙。假牙制作得很精致,可以方便地安在他自己的牙齿上。

他的外套和西服上衣里藏有可以吹起来的气囊,随时可以用小压缩气泵打气。以此办法,他的形象可以在几秒钟内改变:一会儿瘦得像一根棍子,一会儿看起来又至少胖了三十公斤。

他几乎时刻都戴着手套。在夏天,他避免戴显眼的深色皮革手套,而是使用表层像真人皮肤的肉色手套。只有摸到他手的人才知道，那不是真人的皮肤。然而他总是避免与别人握手。

他是秘密间谍，为一个代号为 T.E.K. 的组织工作。他以前曾为美国中央情报局做事，他那时有一个任务，就是搜集 T.E.K. 的情报，为此他就渗透进了这个组织。

T.E.K. 的首领用"巨人"为代号作掩护，前不久还要求和他谈判。因为巨人清楚地知道自己和谁在打交道，并给了秘密间谍一个选择，要么立刻为 T.E.K. 工作，要么真的写一份遗书。这个选择对秘密间谍来说并不难，巨人给他的工资比中央情报局高三倍。

秘密间谍——我们从现在开始称他马克斯，因为他喜欢用这个名字。在和巨人合作后，紧接着马克斯就表演了他的死亡过程。他开出去的车在行驶中掉下了悬崖。中央情报局知道这次事故后认为：潜伏在 T.E.K. 的马克斯在身份暴露后被谋杀了，因为汽车的残骸沉入了大海，所以没有人寻找到尸体。

冒险小虎队 MAOXIAN XIAOHUDUI

马克斯不断地变换名字,开始了新的生活。他直接为巨人工作,却从未见过巨人的真面目。对 T.E.K. 来说,马克斯是个重要的成员。每当中央情报局向 T.E.K. 渗透进一个新的秘密间谍时,马克斯就会立刻注意到。他负责时刻保证这个"新同事"得到的信息是完全错误的。

因此,全世界的秘密间谍都不知道 T.E.K.的真实行动计划,每每要过很久以后才会知道,他们又一次被狡猾的巨人愚弄或误导了。

不过有一点是可以肯定的:T.E.K.是一个危险的组织,人们对它所知甚少。巨人已制定了一个阴谋,他要让整个世界发生混乱、战争和灾难。一些人已经预感到,在接下来的三个月里将要发生一件"大事情"。至于究竟是一件关于什么的大事情,就没人能猜到了。

马克斯从来都不知道他的上司在计划着什么。他已经改掉了出于好奇而提问的习惯。他不加评论地执行巨人给他的任务,从来也不想这些任务会带来什么后果。如果是巨人要求他做这件事,这件事就是马克斯的任务。为此,大笔的酬金汇入他在卡里比克一个岛上的账户里。不久之后，马克斯就打算隐退到那个岛上，从此过平静的生活。

昨天，把公文箱放到地铁站的栅栏里面后，马克斯就有了一种很不好的感觉，但他又不明白这种感觉从何而来。

今天，当取公文箱的人没有发来约定的信号时，马克斯的感觉越发不好了。原本上午九点马克斯就该接到电话了。马克斯现在用的是一部在日本登记注册的手机，实际上这也是用假名注册的。就像换姓名和护照一样，马克斯也经常更换手机。为了不露出一丝痕迹，马克斯真的是动足了脑筋。

取公文箱的人没有回电话的原因可能有两种。也许，他不同意协定。但马克斯很快就打消了这个念头。或者他真的根本没有拿到公文箱。他是没有去取?还是别的什么人发现了公文箱?

马克斯不是在凭空想象。以往的经验告诉他，不可能发生的事情却常常有出现意外的可能。

马克斯居住在市郊的一幢廉价公寓里，房间又小又暗。他预先付了女房东一周的房租。马克斯喜欢这样做，因为此后她就不会来打扰他了。

马克斯从摇摇晃晃的柜子里取出一只磨损严重的皮公文箱。而实际上，箱子的外层只是伪装，箱子里层则是用不易摧毁的金属制成的，第一次用的人很难知道如何打开它。

马克斯不费任何力气就从公文箱里拿出一个手机似的仪器。这个仪器有一个小小的键盘和一个绿色的显示屏。他按了几个键，显示屏就被激活了。他出神地望着一个亮点，那亮点正在一张纵横交错的网上闪烁着。

冒险小虎队

请你回答的问题：
这可能是一个什么仪器？

秘密记录

对手究竟是谁

那个本该去取公文箱的人今天一大早就打扮成乞丐来到地铁站，蹲在栅栏旁边吹口琴。趁着四周没人的时候，他往栅栏里张望。当他发现栅栏只是虚掩在那里时，有些吃惊。他一下子把栅栏扯下来，用一枝很亮的手电筒照着里面。

看不到公文箱，那人十分惊慌。当两个在地铁站巡逻的警察出现时，他便匆匆地离去了。

到了晚上，他又回到了地铁站，装作在等最后一班地铁的样子，却始终隐藏在黑暗的角落里。那人明知会被锁在地铁站里，而这正合他意。他决定着手检查栅栏里的通风井。

　　那人弯下身子，来到了椭圆形的通道里。突然，一阵巨大的摩擦声把他吓得站在那里一动也不敢动。在静静的地铁通道里，他侧耳细听，除了听到自己剧烈的心跳声外，什么都听不到。他看看地板，发现左脚的鞋带松开了。那人弯下腰系好鞋带，当他站直身子时,目光偶然接触到了小虎队贴在墙上的黄色字条。

捡到铝皮箱一只。请在《城市信使》报上刊登以下信息:寻新款铝皮箱,并告知电话号码,我们会和你联系。

那人恨恨地咒骂了一句。前一天晚上,在栅栏内的通风井里,他只看到一个藏在那里的拖着鼻涕的野孩子,他本应该跟着那孩子爬进去的。但为了不引人注意,他并没有这样做。

一时的疏忽把事情都搞乱了。那人气呼呼地回到上层站台。还有几分钟地铁站就真的要关闭了,现在,他留在这里也无济于事。

要不要真的在报纸上登广告呢,还是从这个城市消失或者藏匿起来更明智呢?那人一时难以决断。

当那人融入漆黑的夜色时,他重重地吐着粗气,猜想着自己究竟在跟谁打交道。但有一点他是明白的:除了必须找到公文箱外,他没有别的选择。

星期五早晨,三只小虎都迫不及待地翻阅了《城市信使》报。但这份报纸上并没有刊登他们期待的广告。

"路克,今天我们需要你帮忙。"坎平斯基太太一早就敲响了儿子路克的房门,"我和你爸爸明天要在自家花园里举办一个盛大的聚会,我们还需要准备很多的东西。你最好今天留在家里帮我布置筹备。"

路克从以往的经验里得知,反对是没有用的。

与此同时,碧吉接到了一位年轻母亲打来的电话。那位母亲急于去探望摔伤了腿的老姑妈,请求碧吉照顾她的一对双胞胎。碧吉犹豫了一下,还是答应了下来。自从哈里的事发生以后,她总是担心自己不能继续帮人家看孩子了。

帕特里克听说两个朋友都有事时,失望极了。他参加的足球协会正在休暑假。他也找不到能陪他一起打网球、壁球或者羽毛球的人。想到将要度过无聊的一天,他闷闷不乐了。

整个上午帕特里克都待在电视机前,中午又毫无兴趣地玩了几个计算机游戏。最终,帕特里克决定做点儿有意义的事情,于是,他骑着自行车前往中国金虎餐馆。他曾听餐馆经理吴先生说过,有两个厨师患了感冒不能上班。而恰恰帕特里克喜欢做饭,所以他准备去厨房帮忙。

午后,餐馆所在的街道上空无一人。夏季的高温像一只沉重的锅盖似的压下来,异常闷热。当帕特里克赶到藏有小虎秘密据点入口的镀金老虎雕像面前时,汗水早已湿透了他的衣衫。

帕特里克下车时,忽然有一种奇怪的感觉,似乎有人在监视他。帕特里克装作要系鞋带的样子,蹲下来解开鞋带,同时低着头向马路四周偷偷张望。

路上没有一个行人,也没有一辆汽车、

冒险小虎队 MAOXIAN XIAOHUDUI

摩托车或自行车在附近经过。是不是有人
正潜伏在一扇窗户的后面?或者藏在停泊
着的车子里?

"或者只不过是我在瞎想。"帕特里克
在心里这样告诉着自己。

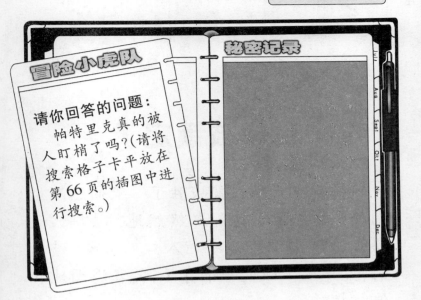

冒险小虎队

请你回答的问题：
帕特里克真的被人盯梢了吗？(请将搜索格子卡平放在第66页的插图中进行搜索。)

秘密记录

目标被锁定了

帕特里克很快就战胜了心里油然而生的恐惧。他尽可能自自然然地站起来,迈腿走上了中国金虎餐馆入口的台阶。进了门,吴先生微微欠一下身子,笑容满面地和他打招呼。

"你真是体贴人,这么热的天还过来帮忙。"帕特里克还没开口,吴先生便抢先说出了他的来意。

"您……您会预测未来吗?"帕特里克惊讶地瞪大了眼睛。

"不,可是我会推断。"吴先生狡狯地眨了眨眼睛,"碧吉和路克都不在,你不用去秘密据点,你到我这里来,除了想吃东西,就是想帮我干活。这会儿已经太晚了,所以你肯定是来帮忙干活的,因为你是个好孩子。"

帕特里克指着外面的大街,问:"这些人正在修下水道,还是在掩埋新电线?"

"我也在奇怪呢。"吴先生说,"平时在这个街道上动工总是会提前得到通知的。"

帕特里克从电话簿里找到了建设部门的电话号码并拨通了它。一位和蔼的女士在查询电脑后告诉他,在一公里的范围内绝对没有在修理下水道或向地下埋电线。

那就是说,真的有人支起了一个帐篷,以便偷偷窥视。这时候,帕特里克希望能立刻与碧吉和路克取得联系,但是路克关掉了手机,碧吉的电话则一直无人接听。

帕特里克通过地下室里的第二个入口进入秘密据点,取出公文箱,把它藏在金虎餐馆厨房里的米袋后面。

他这样做是出于谨慎,却反而因此办了一件错事。

几乎同时,马克斯用右拳击打着伸开的左掌,发出了一阵胜利的笑声:"哈!"他终于取得了进展。

冒险小虎队

请你回答的问题：
帕特里克的行动
错在哪里？

秘密记录

在此之前,这台定位仪已向马克斯指示公文箱的所在地:公文箱在一栋三层楼的住房中,这里住着许多房客,还有一家中国餐馆。所以关于公文箱和谁在一起、具体在哪里,都有多种可能性。现在它被移动了。在定位仪上,马克斯清楚地看到亮点被移动的过程。对他来说要找到公文箱已没有什么问题了,现在他只需在金虎餐馆寻找就行了。

那个有着深色鬈发的男孩使马克斯陷

入深思。那个男孩蹲下去的时候,鞋带并没有松开。那个男孩注意到自己了吗?究竟为什么他会起疑心?

此时,在中国金虎餐馆的厨房里帕特里克正被刚才路上见到的一幕困扰着,拿着菜刀的手竟不知道去干些什么。金虎餐馆的厨师陈师傅用批评的目光上下打量着他:"小伙子,你心不在焉啊。最好把菜刀给我,否则你会伤着自己的!"陈师傅从帕特里克手上夺下那把锋利的大菜刀,帕特里克这才回过神来。

"对不起,我这就继续。"帕特里克尴尬地道歉。说话间,帕特里克挥动着右手,好

像刀一直都还在手上,而他的眼睛却不由自主地透过敞开的窗子向外面的院子里望去。

陈师傅发出咯咯的笑声:"年轻人,你真的认为你可以用手掌切断蔬菜吗?"

帕特里克这才注意到他在做什么。他的脸涨得通红,羞愧得恨不得找个地洞钻进去。

"非常感谢你的帮助,不过你该去游泳。这对你来说更有趣而且也不危险。"话音刚落,陈师傅突然发出一个很大的只有在武打片中才出现的叫声。随着尖叫声,半空中旋转着好几把锋利的菜刀。很快,他又把它们通通接住,手上没有丝毫划痕。

帕特里克张着嘴,惊呆了。

"所有这些都取决于注意力和控制力。"陈师傅骄傲地拍拍帕特里克的脑袋,却又如实坦言,"我跟一个师傅学了十年。开始我只能用木筷子扔,即便如此,我的脑袋还是好几次被砸出大块的青色淤血块。"

吴先生进入厨房,来回地看着帕特里克和那位厨师:"有问题吗?"

陈师傅点点头："这个年轻人似乎有心事。"

"帕特里克，出什么事了？"

吴先生很喜欢三只小虎，好像他们是他的亲生孩子似的。

帕特里克迟疑了一会后透露，小虎队正在调查一个新案子，而现在他担心自己被秘密监视了。

陈师傅和吴先生交换了一下眼神。帕特里克很不喜欢这种眼神。那好像在说："啊，多幼稚啊，这个孩子在玩侦探游戏。"

"那么好吧……我……我这就走了。"帕特里克觉得眼前的一切尴尬极了。他很快就把系在身上的围裙取下来，走往通向内院的后门。

"非常感谢你的帮助！"吴先生在他身后喊道。

帕特里克不好意思地点点头，匆忙走了。外面的空气像在烤炉里一样热。帕特里克不想马上回家，因此转向地下室，走向小虎秘密据点。

小虎密室里很凉爽、舒适。帕特里克索然无味地举着哑铃，然后在磨损了的沙发上舒展身子。他打了个哈欠，闭上眼睛。仅仅一分钟后，他就沉沉地睡着了。

　　不久，帕特里克被一阵喧哗声惊醒了。声音来自秘密据点墙壁高处狭窄的窗子外面。夕阳的红光正透过这扇窗户照进来。帕特里克困倦地揉揉眼睛，伸了个懒腰。

　　"你走开！我不让你进去！"帕特里克听到吴先生激动的抗议声，"你所说的我不同意。"

　　一个低沉而又沙哑的声音在威胁吴先生："你这样做只会给自己找来一大堆麻烦。

我可以关闭你的餐馆。"

"我的厨房里没有毒品。我们这里也没有老鼠!"吴先生火了。

帕特里克好奇地站起来,溜到金色老虎雕像后的秘密入口处。他偷偷地把门开了一条细缝,向外窥视。

吴先生站在饭店门口最高一级的台阶上。一个结实的男人双手叉腰,来势汹汹。

帕特里克从下向上打量着来者。突然,他屏住了呼吸,那人身上的一件东西使他害怕。帕特里克暗暗祈祷那人没有见到他。

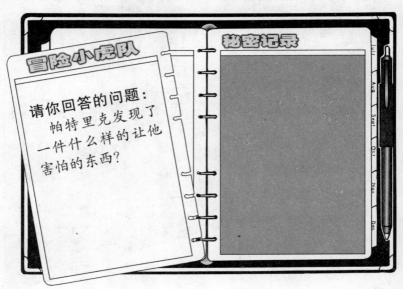

冒险小虎队

请你回答的问题:
帕特里克发现了一件什么样的让他害怕的东西?

秘密记录

哪里还有出口

帕特里克因屏住呼吸时间过长而感到头昏目眩。他尽可能小声地吸了一口气，然后又马上屏住呼吸。

从什么时候开始，负责餐馆食品检查的人也需要随身携带武器了？

帕特里克有一种不好的感觉，似乎自己快要完蛋了。先是有人盯梢，而现在又……

帕特里克一下子明白那人想要干什么了。那个家伙肯定知道箱子就在餐馆里，也许他甚至还知道箱子藏在厨房里。唯一的解释就是，箱子里一定设有一种微型发报器，使得那人能追踪过来。

帕特里克悄悄关上秘密出口的门，溜到另一个通向厨房的门。他摸索着通过一

77

条潮湿、阴暗的通道，向上跑到院子里，再从储藏室进到厨房里。

看到帕特里克一路跑过来，陈师傅扬了扬眉毛。

"又来了？饿了？"

帕特里克匆忙地摇了摇头，把藏在米袋后面的箱子取了出来。厨师怀疑地看着他的一举一动："发生了什么事？为什么你要把这个箱子藏在这里？"

帕特里克没作任何解释，他匆匆向后退到门边，只想快些离开这里。

"居然把我的厨房当作胡乱藏东西的仓库了！"陈师傅勃然大怒，他的脸涨得像一只快要爆炸的红气球。

帕特里克抱歉地耸耸肩，转身跑掉了。他拐进宽敞的停车场出口，看到通向大街的门开着，这才稍稍松了口气。帕特里克决定赶紧远离中国金虎餐馆。

帕特里克飞快地朝前奔跑着。开始，他还以为一种低沉的声音是他自己脚步的回音。可当他放慢奔跑速度后，才得出了一个可怕的结论：有人跟在后面。他鼓起勇气向后瞥了一眼，看到那个刚刚在和吴先生说话的人已经追了过来。

帕特里克是一个出色的运动员，跑步是他的强项。他在少年组田径比赛中还得过冠军。尽管如此，他还从没被一个带着武器的人追踪过。他的双脚好像灌了铅一样沉重，那只箱子似乎有一吨重，仿佛随时会把他的胳膊扯下来。尽管尽了全力，他的腿却越来越僵硬。这时候，帕特里克看起来就像一个束手束脚的提线木偶。

跟踪者追上来了。马克斯在为中央情报局效力之前受过很好的训练。在驻扎了八个月的训练营地里,他所受的魔鬼式训练纯粹是苦役。不过从那以后,不论是在冰天雪地里还是在酷热的沙漠中,他都可以生存了。他的肌肉结实而富有弹性,他的耐力足以进行马拉松长跑。

帕特里克并不熟悉这个街区弯弯曲曲的街道。为了摆脱跟踪者,他总是出其不意地拐进横街,像逃跑的兔子一样四处乱窜。

可是,帕特里克怎么也甩不掉那个陌生人。

这是个闷热得令人窒息的晚上,大多数人都不想出门,因此大街上空无一人。

身后的脚步声越来越近。帕特里克又鼓起勇气向后看了一眼,恐惧就像一把利剑插入帕特里克的身躯,他的双腿不由得抽搐起来。那个人还差几步就可以抓到他了,魔爪已经伸向公文箱。但帕特里克绝不会轻易屈服的。

帕特里克听到自己的心脏在剧烈地跳动,T恤完全湿透了,黏乎乎地贴在身上。

帕特里克猛地拉住一根交通灯的杆子,围着杆子转了个身,跌跌撞撞地跑向一个小广场。

不远处,一辆警车的警笛响了起来。抬眼时,帕特里克吃惊地发现,自己已身处险境。

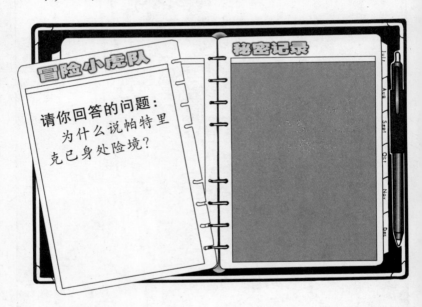

冒险小虎队

请你回答的问题:
　　为什么说帕特里克已身处险境?

秘密记录

真的插翅也难逃吗

面对小广场四周的高房子，就像面对着一个不可逾越的堡垒。帕特里克惊慌地望向身后。

追踪者应该已经在拐角处转弯了，但还看不到他的踪影。他应该再过几秒钟就会出现了。

帕特里克应该向哪里跑呢？进入其中一栋房子吗？可这里所有门上的把手都是圆形的，没有一个是摇柄。如果他按门铃的话，也许还需要解释很久，才可能有人会让他进去。最后，他采取了一个大胆的行动。

马克斯一下子慢下了脚步，因为警笛声着实把他吓了一跳。他不想落入陷阱。至于那个一头深色鬈发的男孩对他来说并不可怕。马克斯向来行事谨慎，不做任何没有把握的冒险。

警笛声渐渐变小了，此时马克斯明白警察不是朝他这个方向来的。为了避免引起人们的注意，他平静地慢慢地走到广场上。现在，一切都在自己的掌握中。

马克斯从外套下面拿出定位仪，打开了它。屏幕上又出现了许多线条，那个亮点开始闪烁。

通常情况下，马克斯都能很好地控制自己的情绪。从他的脸上，人们从来也看不出他到底心情如何。他对遇到的人最多只是笑一笑，或者配合演出似的展露出一丝忧虑或悲哀的神情。

但这一次不是这样，失控、惊讶和不知所措都写在他的脸上。他站在那里，嘴巴张得大大的，下巴几乎要掉下来，眼睛直勾勾地盯着小屏幕。

这怎么可能？公文箱在动，但是已经不在小广场上了。虽然这里没有其他出口，但不可思议的是,那个男孩和箱子一块儿不见了。男孩肯定没有足够的时间进入一栋房子,再从房子的后门出去。再说那样的话,马克斯会听到房门开关的响声的。

半分钟后，马克斯又渐渐平静下来。他已经发现帕特里克是从哪条路逃脱的。

"我会抓到你并得到箱子的！"马克斯咬牙切齿地说。最后，他又恨恨地加了一句，"臭小子！"

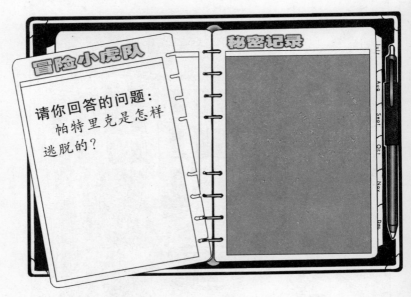

冒险小虎队

请你回答的问题：
　帕特里克是怎样逃脱的？

秘密记录

帕特里克回到家时，已经快晚上八点了。他的父母正在看新闻。父母俩都穿着浴衣，把脚伸入一只盛着冰水的塑料盆里。帕特里克走进客厅时，他们困倦地向他招招手。

"小伙子，你看上去很劳累，而且还满身是灰！"施泰因布伦纳太太平时不太重视儿子的卫生，不过今天晚上帕特里克实在脏得太离谱了，好像是从泥浆里爬回来似的。

"我就去洗澡。"帕特里克有气无力地答应道。这时候他简直连脱衣服的力气也没有了。对他来说，到浴室的路就像半个环球旅行一样遥远。他靠在沙发旁，在客厅的地板上坐下来。他的目光停留在电视上，但他的思维一时无法理解新闻的内容。

那是一则关于新建水力发电厂的新闻。发电厂建在城外，人们在一座山谷里注满水后，建起了一个水坝。高大的堤坝里蓄着几十亿立方米的水。画面上出现了一座教堂，只有它的尖顶还能高耸出水面。

水通过长长的管子涌向大坝的深处，推动发电站里的涡轮机，从而产生强大的电流。

施泰因布伦纳先生喝了一大口冰镇饮料，然后，盯着荧屏不无担忧地说："我可不想知道如果这堤坝裂了一道缝会发生什么。恐怕到时候我们就该住在水里了。"

施泰因布伦纳太太咯咯地笑了起来："啊,什么嘛!这是不会发生的。"

"我可不像你这么肯定。"施泰因布伦纳先生觉得妻子的想法太幼稚了,"可能有人会用炸药炸堤坝,或者同时开启所有的水闸,水压会压垮堤坝的。"

帕特里克的妈妈摸摸她丈夫的额头,又很快地把手移开,就像被烫着了似的:"发烧了!"她同情地笑着嘲弄丈夫。

新闻节目里,一个男播音员解说道:"管子把水导向涡轮机,管子中水的压力由最先进的电子计算机操作系统控制。操作系统会控制压力的变化,因为水压的大幅度波动会让堤坝产生裂缝。"

施泰因布伦纳太太朝她丈夫摆摆手,意思是说:"喏,你看,你的想法有多幼稚。"

"还有四个辅助安全设施作保证,无论电源被切断或者陨石落到控制中心,整个设备都不会遭到损坏。"新闻还在继续。

施泰因布伦纳太太捂着嘴，打了一个大哈欠："嗯，现在我们可以放心地睡觉了。"她皱着鼻子推推身旁的帕特里克，"但我不允许我的儿子像一只臭烘烘的小动物，你现在必须立刻去洗澡。"

帕特里克顺从地点点头，拖着沉重的双腿走向浴室。

晚些时候，帕特里克穿着浴衣躺在床上，反复地拨打着路克和碧吉的电话。但无论他打手机还是住宅电话,都找不到他们。帕特里克打得手指都要麻木了,此时此刻,他真的有一肚子话要和朋友们说。

虽然因为疲劳身子几乎不能动弹,帕特里克却始终无法闭上眼睛。他静静地躺着,两眼一动不动地盯着天花板。

他怀里抱着手机,就像抱着一只玩具熊。终于,手机响了。

电话是路克打来的。

树上有个小木屋

"我妈今天把我从一个店拖到另一个店,"路克连声抱怨,"最后她还让一个女裁缝给我做了一套深色的西装。"

"行了。"帕特里克不耐烦地打断了他的话,"听着,现在有更重要的事要办:你必须把箱子里的东西藏好。我们被监视了。"

话筒里不合时宜地传出"嘀"的一声,然后就断线了。手机屏幕一片漆黑。真倒霉!电池没电了。

帕特里克不敢用客厅里的电话。他的父母在卧室里能够听得一清二楚,到时候肯定又是没完没了的唠叨。没有别的选择,只能等到明天星期六再说,这对帕特里克来说是一种煎熬。

星期六早上又发生了许多事情。碧吉八点钟就给帕特里克打来电话。寒暄了几句后，她就开始谈正事了。

"报纸上的广告登出来了！我们到秘密据点会合！"碧吉刚要挂电话，就遭到了帕特里克的反对。

"不，我们最好在树上的小木屋里见。"

"为什么？"碧吉不解。

"我到了那里再跟你们解释，记住，千万别去秘密据点。"

九点钟的时候，小虎队集合了。三个人一起蹲在树上一间用粗糙的木板搭起来的木屋里。

小木屋在动物园的热带雨林馆里，普通的参观者是不得入内的。不过自从小虎队在一个很重要的案子中帮助了动物园的经理后，他们就拥有了一把钥匙，可以打开玻璃房，顺着梯子爬向树上的小木屋。

巨大的玻璃房里，充满着热带雨林中又潮又闷的空气。郁郁葱葱的灌木和树丛旁有一条瀑布在飞流直下,好一派生气勃勃的景象。

帕特里克最后一个到达目的地。他的朋友们早已等得不耐烦了。碧吉和路克把

头埋在展开的报纸中,他们肯定已经把广告读了上百遍了。

"在你们开口说话前,我有许多情况要告诉你们!"帕特里克确实是有太多的话要说,碧吉和路克只好先乖乖地闭上嘴。

帕特里克在向同伴们讲述星期五的惊险经历时,不停地做着手势。

"等一下,你是怎么摆脱那个家伙的?"碧吉突然插嘴问道。

"通过喷泉,那里面有个金属梯子,一直通向地下。喷泉底下有一条通道,我就钻了进去。它通向下水道的排水沟,那儿的路我还认识一点儿。"

在这座城市下面,交织的下水管道与地上的大街小巷并行,构成了另一张交通网。小虎们曾经听过导游的讲解,并参观过像小交通图一样复杂的地下通道指示图。纵横交错的地下通道是用延伸在它们上面的街道命名的。

"那么,现在箱子在哪儿呢?"路克问道。

"我把它藏在一个小洞里了。这个小洞在贝多芬广场下面的下水道里。"

"也许那个人已经把它拿走了。"路克若有所思地擦着眼镜,"箱子里肯定装有一个微型发报器,能发出信号便于他随时追踪。"

"箱子里面的东西呢?你藏好了吗?"帕特里克焦急地问路克。

路克点点头:"东西在我家地下室我爸的保险柜里。我知道正确的密码,可以打开它。东西放在那里绝对安全。"

"安全?"碧吉却不敢这样肯定。

"嘿,我爸的文件涉及到企业所有最高级的机密,其中最重要的一部分就放在这个保险柜里。"路克向同伴们解释。

"这就是那个追踪帕特里克的家伙吗?"碧吉用手挥挥那份登着广告的报纸。

"有可能!"路克点了点头,陷入了沉思,可是,他很快又否定了这个想法,"不,我觉得广告是那个约定取箱子的人登的。"当路克注意到朋友们正用困惑的目光看着他时,他不得不更详细地作出解释:"公文箱里有微型发报器的事实一定只有带来箱子的人知道。他可以用仪器继续追踪箱子的踪迹,并不需要和我们联系。"

"我希望你的想法是正确的。"碧吉已经显得不那么自信了,看得出,她感觉到这件事情已越来越棘手。

那个陌生人提供的电话号码以两个零开头,号码非常长。路克从他的大衣口袋里翻出一个袖珍电脑来,把它打开,用一枝笔在屏幕上写着。帕特里克看着路克输入了那个长长的电话号码。

"我的新装备。"在等待电脑操作的间隙,路克得意地挥舞着他的宝贝,"这东西有一个内置的手机,我可以用它上网。"

不久,屏幕上出现了答案。

"一个卡里比克岛上的电话号码。"路克有了最新发现。

"卡里比克离我们这儿可远着呢。"碧吉知道这个情况。

　　"这是掩盖自己真实住处的最好办法。"路克对这类小把戏了如指掌，"电话可以从卡里比克转接到那个陌生人的住处。"

　　"那么接下来我们该怎么做呢?"帕特里克机械地用手指梳理着自己的鬓发，问道。

　　路克又在他的袖珍电脑上敲击了一番，然后把它放在耳边。他拨叫了一个号码。

　　"你好?"电话那头传来一个男人匆忙

的却如游丝般的声音,好像有人在他隔壁房间偷听似的。

路克深深地吸了一口气。他没预料到这么快就有人回应。

陌生人很快又重复了一句:"你好?"

路克集中精力听着背景中的噪音,但没有听出什么内容来。

"您是谁?那个箱子您要多少钱?"那人在电话另一头问。

路克从接电话人的提问中推断,他一定不是那个跟踪帕特里克的人。

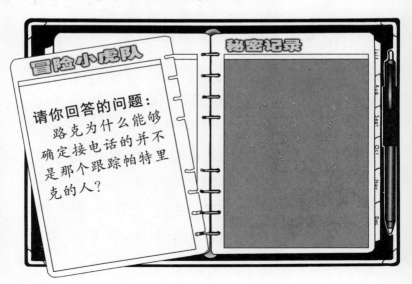

冒险小虎队

请你回答的问题:
路克为什么能够确定接电话的并不是那个跟踪帕特里克的人?

秘密记录

危险的约定

路克粗声粗气地学着大人的腔调说话:"箱子在我们这里。"

"您想要多少钱?"那人似乎并不感到惊讶,而且很务实。

"在哪里交接?"路克也不想拖泥带水。

"价格?"那人坚持着自己的话题。

"一千!"路克脱口而出。

那边沉默了一会儿。这时候,路克恨不得扇自己一个耳光。价格实在给得太低了,这很容易让对方发现他们并不是真的职业间谍。不过现在已经晚了。

那人向路克提了一大串问题:"那个孩子是谁?他为什么会在地铁的通风井里?为什么他要把箱子拿走?是你们派他去的吗?"

"不是。"路克简短地回答，并且不断向对方施压，"地点？"

"您提个建议！"

路克急切地思考着该说些什么。突然，他有了一个似乎不错的主意。

"地铁，老地方，栅栏后面。您把钱放进去，最后一班地铁开走后，您就能拿到箱子。"

"什么时候？"

"今天晚上。"

"就这么办。"

对方"咔嚓"一声挂了电话。路克趴在木屋粗糙的地板上，感觉到了自己剧烈的心跳。

帕特里克和碧吉急切地要路克把对方的话再复述一遍。路克说完后，碧吉想到了一个问题："我们怎么才能跟父母解释清楚，我们必须在半夜十二点去地铁站呢？"

很快，路克就有了办法："你们都被邀请参加我父母举办的花园聚会了。因为聚会很晚才结束，所以你们就睡在我家了。在热闹的晚会上，来客很多，我们偷偷溜走是不会被人发现的。"

"那么公文箱呢?我们把它连同里面的东西全都交给刚才那个人吗?"帕特里克并不认为这是个好主意。

路克笑着摇摇头:"绝对不可以。我们只想查出谁是要取东西的人。"

"我们还要把箱子留在贝多芬广场底下的下水道里吗?"帕特里克一时没了主意,都不知道该怎么办了。

"不,把它拿来。我要仔细地检查。现在,我们可用不着害怕昨天跟踪你的那个家伙。在动物园里他不能把我们怎么样的。这里有太多太多的目击者!"路克指向地面。参观者正走在沙沙作响的碎石路上,兴致勃勃地观赏着人工雨林里的稀有植物和动物。

帕特里克不愿意去完成这项任务。他不喜欢再爬到又臭又暗的下水道里去。再说还不知道那个人是不是已经把箱子取走了。

"我们在这里等着你。"碧吉许诺。

"为什么你们不跟我一块儿去呢?"帕

特里克一下子就拉下了脸。

碧吉立即站起身来，不屑地撇撇嘴："看来男人没有女人的保护就会迷失方向。"

两个男孩子同时向碧吉做了个鬼脸。

三只小虎经过一番小小的争论，最后决定由帕特里克和碧吉一块去取公文箱，路克留在木屋里等待着他们的回来。

在动物园外面一条僻静的小巷里，有一个下水道入口。帕特里克先进去，碧吉确定没人跟踪之后，很快也跟了进去，并把金属窨井盖重新盖好。

碧吉和帕特里克都在腰带上别了一个很亮的小手电筒。这一天，地下水道里似乎比

任何时候都要黑。手电筒的光线照不了多远。

帕特里克之所以选择这个入口,是因为藏箱子的地点离这里非常近。下水道里,一条翻着泡沫的棕灰色水流在静静地流淌,旁边只留了一条有围墙的狭窄小路供人行走。

碧吉用T恤的领口捂住鼻子,帕特里克则用衣襟捂着脸,似乎只有这样才能减轻臭味。

箱子原封不动地躺在水道边的洞穴里。帕特里克把它拿起来,朝碧吉点点头,然后轻轻地推了她一把,让她快点儿返回。

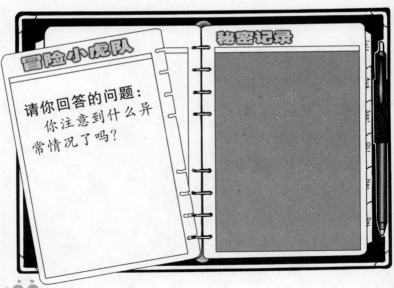

冒险小虎队

请你回答的问题:
　你注意到什么异常情况了吗?

秘密记录

不能道出实情

突然，一声刺耳的爆炸声在寂静的长长的水道里响起。帕特里克感到手腕被猛地一拉，箱子突然变得很沉很沉。紧接着，一股刺鼻的烟雾扑面而来。烟是从金属箱里冒出来的，箱子盖正松松地向下垂着。

就像手里拿着一条剧毒的眼镜蛇似的，帕特里克一下子就把箱子甩了出去。公文箱掉到污水中，发出"嗞嗞"的声音，很快就被混浊的水流冲走了。

碧吉在剧烈地咳嗽，眼里充满了泪水。她像瞎子一样跟跟跄跄地向前走。她必须沿路摸着墙壁才能避免偏离道路。

"快走！"帕特里克憋着气喊道，因为他害怕烟雾中可能含有麻醉剂或毒气。

105

一不小心，帕特里克撞着了踟蹰不前的碧吉，差一点儿就把她撞到污水沟里去了。帕特里克赶紧抓住碧吉的肩膀，推着她往前走。再向前走了几米，他们终于拐进了一条小巷，阴凉而新鲜的空气迎面扑来。帕特里克贪婪地呼吸着。

淡淡的几缕烟雾像长长的舌头一样，从他们刚刚离开的水道里飘过来。为了避免吸入有毒的烟雾，帕特里克继续飞快地推着队友向前走。碧吉的手电筒掉到水里去了，帕特里克的手电筒也没有好好地照在路上，光圈快速地跳来跳去，显得很散乱。

当两只毫无防备的小虎眼前出现一束刺眼的光线时，他们感到无比惊恐。光线照得他们睁不开眼。那人故意用灯光直射小虎的脸，目的是让小虎看不清楚自己的模样。

"你们是谁？箱子里的东西呢？"一个嘶哑的声音响了起来。这声音显然是装出来的，目的就是为了以后不被人认出来。"我警告你们，立刻把东西交出来。"

　　碧吉深吸了一口气,用尖厉的声音大叫起来:"那东西已经不在我们手上了!"

　　这也没撒谎,三个信封确实不在他俩手上,而在路克那里。

　　"东西在哪里?谁派你们到那里去的?是谁让你们这些小间谍到处乱蹿的?"

　　"有……有一个人……他……他叫我们去地铁站的通风井里拿箱子。然后他就没音信了,所以我们就打开了箱子。接着他又给我们打电话,我们就把箱子里所有的东西都给了他。"虽然害怕,碧吉仍然没有说出实情。

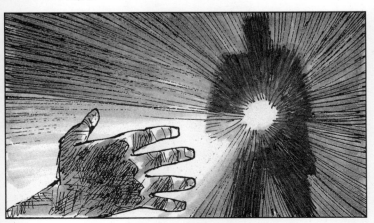

那人暂时沉默了，似乎在考虑着什么。

"你们应该做些不用冒险的工作来赚零花钱。"在令人窒息的寂静后，他总算又开口说话了，"不然你们会落入更多的陷阱。"他用手电筒照照帕特里克的右手。

这时，碧吉通过手电筒的余光还是模糊地看到了那人的外貌："是您把烟雾弹放到箱子里的吗？"

陌生人没有作声，顾自向下面走去，但仍把灯光照在两只小虎的身上。当他走得足够远后，他才把手电筒关上然后消失了。

刹那间，两只小虎只能听到污水的"哗哗"声和他们自己冬冬的心跳声。两人都被一种不好的感觉折磨着。他们撒了谎。而那个陌生人是个极为危险的人物，万一他发现他们说了谎话，他就会找到他们，然后……

帕特里克连连咽了好几口口水，他扯着碧吉的 T 恤，用沙哑的声音催促她："来，我们赶快离开这里。回去找路克。"

　　"如果那人跟踪我们怎么办?"碧吉的声调带着颤音,看来她已被吓得不轻。

　　"他不会这样做的,"帕特里克不停地安慰碧吉,也安慰自己,但语气多少有点儿不确定,"如果他还要跟踪我们的话,我们也会立刻发现的。"

　　帕特里克带着碧吉绕路来到一个向上的下水道出口。两人分开行动,从两个不同的方向回到动物园,又从两个不同的入口进入热带雨林馆。但在木屋里,等待他们的是一个意外。路克不见了,地板上用图钉贴着一封小虎队独有的密信。

会	我	天	↑ 发	试	试
发	发	发	发	发	发
图	图	与	与	莱	莱
今	天	是	好	天	气
昂	昂	纳	纳	德	德
发	发	发	发	发	发
取	取	得	得	联	联
发	发	系 ↓	系	发	大

冒险小虎队

请你回答的问题：

路克写了些什么?(请用密信解读卡解读第 109 页路克留下的密信。)

秘密记录

"毒蛇"准备出洞

巨人其实并没有人们想象的那么神秘。事实上,他是一个整天待在办公室里的人。他的办公室在一栋摩天大厦的十层,从这里可以看到一幅宏伟壮观的港湾风景,只有实力最雄厚的公司才能在这里落户。

巨人每天都和世界各国的商业伙伴进行着无数的洽谈和电话协商。他几乎每天都和这个城市里德高望重的人们共进午餐,甚至市长也算是他的熟人。

巨人有一个愿望,那就是能在这个世界上拥有真正重大的影响力。为达到这个目的,他不择手段。

巨人计划的"大事情"将会震惊世界,并且显示出慑人的威力。但是现在,巨人感到不安,因为为他效劳的秘密间谍在向他报告时有些支吾其词。一定出什么事了,巨人能感觉得到。但不论发生什么,他的计划都不允许失败。

在放书架的那堵墙壁后面,有一间隔音的密室。它是巨人为进行"商谈"而建造的。巨人还在密室中配备了精密的装置,用来彻底杜绝被窃听的危险。此外,这里还安装了一个仪器,用来与 T.E.K.的秘密间谍们进行加密的无线电通讯。仪器的密码非常复杂,即便使用世界上最先进的解码计算机也需几周才能破解。此外,巨人还使用了许多高级技术,使外人根本无法接听到这里的无线电信号。

巨人开启藏在两本书之间的开关,伴随着轻微的摩擦声,书架向两边打开。

厚厚的密室的门重新关上后,巨人才从墙里拉出无线电设备,与那个我们称为马克斯的人取得联系。

马克斯此时不能通话,因此与巨人约

定二十分钟后再联络。二十分钟后巨人准时与他联系,马克斯也做好了接听电话的准备。马克斯知道巨人最痛恨不守时间的人。

"发生什么事了?"巨人想知道实情。马克斯简短但详尽地报告了交接箱子时遇到的麻烦。

"这些孩子在撒谎,我能肯定。"巨人果断地下了定论。

"一个男孩叫帕特里克·施泰因布伦纳,女孩叫碧吉·波尔格,另一个男孩叫路克·坎平斯基。"马克斯补充道。

"坎平斯基?"这个名字引起了巨人的注意,"大工业家格罗尔德·坎平斯基的儿子?"

"是的!"马克斯确认。

巨人抬了一下眉毛,眼睛眯成了一条线。在他办公室的桌子上,正放着一份邀请函,邀请他参加坎平斯基家一年一度的花园聚会。巨人还从未去过,不过这次他一定会去的。

此时,地铁站里,一只手冷不丁地搭在

路克的肩上,吓得他两腿发软,差点跪倒在地,甚至忘记了呼吸。

那只手把路克转过来。路克这才看到一张苍白而又严厉的面容,两只深陷的棕色眼睛向他投来责备的目光。

"你是疯了还是有别的企图?"那人紧紧地抓着路克,就像抓住了一个小偷。

"两者都不是,而且我才不像你感觉的那么恐怖。"路克试图用玩笑话脱身。

　　但那人还是一脸严肃:"我已经观察你半个小时了。你为什么在这里跑来跑去,还不停地向地铁管道里喊着'莱昂纳德'?"

　　路克对此能怎么回答呢?路克曾尝试着打开那扇莱昂纳德领他们到街道上时通过的暗门,却失败了。然后他下到地铁站里,等到他觉得没人注意的时候,就低声呼唤莱昂纳德的名字。

　　"还有,你为什么撕扯这些海报?"那人歪着脑袋,仔细地端详着那张上面画有沙滩的旧海报。

"您究竟是谁?"路克反问道。

"车站管理员。"路克这才注意到他穿着的灰蓝色制服。"立刻走开,别让我再见到你!"那人不容置疑地命令着,并陪着路克向上走到地铁出口,然后用阴沉的目光盯着路克远去的背影。

路克装出垂头丧气的样子朝前走,却在离地铁站最近的一个拐角处停住脚步,藏了起来。必须和莱昂纳德谈谈,他曾经因为那只箱子警告过小虎队。这意味着他知道更多的事情,也许他的话会对小虎们破案有进一步的帮助。

路克一时想不出更好的方法,只能从随身带着的百宝箱里掏出一张纸条,在上面写道:莱昂纳德,请与我联系。

路克还写上了他的手机号码,并把字条贴在地铁井通向露天的那扇暗门上。莱昂纳德会看到贴在这里的留言吗?路克不能确定。

路克沮丧地走到街上,拨通了碧吉的电

话。立刻,路克就从队友紧张的声音中得知,一定发生了什么重大的事情。他们约定在路克家见面。路克继续向前走,突然,他惊讶得眯起了眼睛。

那真的是……

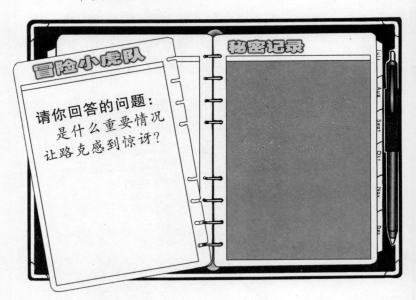

来送信的狗

路克一家住在一栋白色别墅里，路克的房间在一楼。星期六，院子里传来杯盘碰撞的"叮当"声。人们正在长餐桌上准备美食。在倍受呵护的草地上，架起了许多盖着精美桌布的小桌子。路克的妈妈奔走于地下室与厨房之间，指挥着服务人员工作。

"绝不能让我妈妈看到它。"路克指着那只毛发乱蓬蓬的狗。此时，它正靠着路克的膝盖坐在地上，高兴地接受着路克的抚摸。

"它就站在你面前？"这太奇怪了，碧吉简直不敢相信。

"它看上去就像是单独出来溜达的，"路克自己也没弄明白究竟是怎么一回事，"我向它走过去，它立刻就开始摇尾巴，并允许我把它抱起来。但周围见不到莱昂纳德。我等了一会儿,他还是没有出现,也没给我任何信号。"

"但是为什么狗会跟着你呢?"帕特里克不停地挼着头发,理不出一个思绪。

"不知道,我也没命令它这样做。我一动腿它就跟着我,想甩掉它都不行。"

碧吉走到狗的前面,蹲下身子。它讨好地"啪嗒啪嗒"舔着碧吉的脸。

"哎呀,我今天已经洗过澡了!"碧吉禁不住笑了起来。狗似乎听懂了碧吉的话,听话地把头扭向一边。

"难道莱昂纳德遇到了不测?"帕特里克想到了一个不好的可能。

"希望不是这样,他是那么和善!"碧吉抚摸着狗的脖子,狗表现出很高兴的样子。

"嘿,等一下!"路克突然跳了起来,兴奋得手舞足蹈。

"到底发生什么事了?"碧吉和帕特里克你看看我,我看看你,一脸的茫然。

"我猜测，莱昂纳德想通过他的狗给我们送信。"

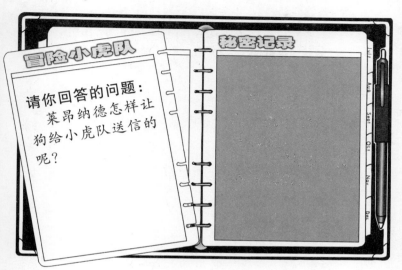

冒险小虎队

请你回答的问题：
莱昂纳德怎样让狗给小虎队送信的呢？

秘密记录

路克的猜测被证实是正确的。字条用的是很薄的纸，它被小心地卷好放在狗脖子上的项链的小匣子里。

"你们在找我。我们可以在最后一班地铁过后见面。和上次的地点一样。"路克念道。

碧吉惊讶地轻轻拍着狗的脑袋："嗨，你可真是个聪明的男孩儿。你怎么知道信息是给路克的？"

帕特里克对此作了解释:"你可以训练狗做很多事。例如,让它学会听人耳听不到的高频率声音,人们也可以用口哨教会狗很多东西。莱昂纳德的这条狗一定受过特别的训练。"

这时候,毫无预警的,路克房间的门被推开了,坎平斯基太太冲了进来。她用责备的目光看着三只小虎。

"花园聚会半小时后就开始了,而你们都还没换衣服呢!"坎平斯基太太拎着一只衣架,上面挂着一件深色西装。路克看到后,不禁长叹了口气。"帕特里克,你可以穿路克的旧西装。碧吉,我借你一套夏装。你们可不能穿着 T 恤和牛仔裤去参加这样隆重的聚会。"坎平斯基夫人显得十分着急。

　　莱昂纳德的狗从路克的床尾跑出来，但幸好被床架遮住了。碧吉尽量不引人注意地把手伸向它，轻轻地按住它的脑袋，让它乖乖地趴在地板上。但不一会儿，碧吉就感觉到狗想站起来，想要去迎接坎平斯基太太。它的尾巴已经在有节奏地敲击地板

了。为了不让路克的妈妈发现，帕特里克只好用手拍打着同样的节奏。

"你们坐在那里多可笑！"坎平斯基太太还在数落他们，"帕特里克，你为什么拍手？"

"啊……打鼓……我的新爱好。"帕特里克支支吾吾地找了个蹩脚的理由。

"快点儿，快点儿，起来换衣服！"坎平斯基太太催促三只小虎。现在，她还有许多事情要做，所以她才没有继续追问下去。

路克无奈地向朋友们使了个眼色，好像在说："反对是没有用的！"

碧吉穿着路克妈妈那件印有花纹的衣服，觉得自己就像个老太婆。作为补偿，碧吉可以用路克妈妈的化妆品。在碧吉涂抹口红的时候，一些问题闪过她的脑海。

在路克爸爸的保险柜里，放着三个神秘的信封。今天晚上小虎们将与那个想要信封的陌生人见面。而事实上，小虎们并不想把三个信封交给他。碧吉开始怀疑：这一次小虎们的行动是不是太冒险了？

可怜的路克穿着西装和白衬衫,打着领结,感到很不舒服。但他的妈妈坚持他以这样的着装和她一起去同每一位客人握手。

"这是我的儿子路克。"坎平斯基太太自豪地向客人们介绍。

路克八次被问到学校的情况,五次被人称赞长得魁梧,还有两次有人问他是否有女朋友,这一切真令路克尴尬。

在坎平斯基家的别墅前,停满了宽敞、昂贵的豪华轿车。坎平斯基太太甚至还为这个晚会雇了一个管家,管家站在门口迎接客人,并把客人带到花园里来。

管家穿着燕尾服,戴着白手套,看起来好像是从电影里走出来的。他的鼻子朝天翘着,眼睛半闭着。当一个女服务员端着一整盘酒杯匆忙地从他身边经过时,他严厉地训斥了她,因为她没戴白手套。

"所有工作人员都必须戴手套。"碧吉听到那个管家的斥责声。女服务员默默地点头认了错,立刻回到厨房里去了。

125

　　巨人也早已混在客人们中间了。他感谢路克妈妈的邀请,并久久地用审视的目光打量着路克。

　　路克并没有注意到这种审视的目光,因为大人们的应酬实在太无聊了,他更乐意去和小虎队的队友待在一起。

　　这时候,路克并未预感到,小虎队将要遇到危险了。

祸起三只信封

诱人的自助餐开始时，三只小虎都快饿晕了。放着美味的餐桌因为负重过度而有些弯曲变形。客人们欣赏着放在菜肴之间的高高的冰雕，不时发出阵阵惊叹。

坎平斯基先生有着高高的个子，一张棱角鲜明的脸和灰白的两鬓。他总是表情严肃，微微隆起的双眉似乎永远在思考着什么。路克知道爸爸的生意金额每年超过上千万美元，他一年中的大多数时间都是在旅行和会谈中度过的，所以和路克见面的时间少之又少。

"你们还愉快吧?"坎平斯基先生在餐桌旁遇到三只小虎时，小虎们正狼吞虎咽地享受着美食。看着孩子们装得满满的盘子,坎平斯基先生显得有些高兴:"不管怎么说,食物还算好吃,对吧?"

帕特里克连连点头,碧吉不好意思地向坎平斯基先生笑了笑。

时间在慢慢地逝去,小虎们都觉得这个晚会时间长得几乎没有结束的时候。台上的几个弦乐手似乎要永远地弹奏下去。

"这鬼哭狼嚎的提琴声真叫人心烦。"碧吉赌气似的舀了一大勺冰淇淋塞进嘴里。

一个服务生走到路克旁边,弯腰在他耳边低声说了些什么。路克深叹了口气,对着同伴抱歉地摇摇头:"我还要去见一个人,我爸的命令。"

服务生告诉路克到地下台球室去,他的爸爸在那里等他。

一条带子拦在楼梯口,为的是阻止客人们向下走。路克感到奇怪,为什么爸爸会在下面,而且还要自己去找他。路克越过障碍,跑下楼梯,走进黑暗的台球室里。

当路克开始怀疑事情有些不对劲时,

已经晚了那么一点点。他感到自己的左边有
人在移动，紧接着他就被强行拖入黑暗中。
一股浓烈的男士香水混杂着皮革和木头的
味道弥漫在空气中。一只手使劲捂住他的
嘴，一种窒息的痛苦几乎让路克站不住脚。

那人开始和路克说话，声音像是挤出来
的一样。这无疑是一种经过伪装了的声音。

"别再耍花招了。三个信封在哪里？"

路克没法回答。捂住他嘴的手并没有
放松。

"听好了,你必须在十分钟内把它交出来。如果你不这样做,聚会上就会发生一起惨案,会出人命的。懂吗?十分钟!"

路克只能不住地点着头。

"你会知道在哪儿给我东西的。如果你耍什么鬼把戏,或者叫你的朋友们帮忙的话,你会永远后悔的,明白吗?"

路克又使劲地点了点头,然后被人摔向黑暗中。路克撞到了台球桌上,沿着桌边摔到地上。身后的门被"砰"的一声关上了,听声音,门被锁上了。

怎么办?如果路克被锁在屋内的话,又怎能把那三只信封从保险柜里取出来呢?

刚才撞到台球桌上的腹部一阵阵隐痛。路克忍着疼痛,在黑暗中摸索。他的手摸着墙来到门边,在那里寻找灯的开关。"咔嚓"一声,台球桌上长长的吊灯亮了起来。

这个房间没有窗户,而门又被锁上了。路克该怎么出去呢?那人肯定为了能先走一步脱身,才把路克锁在里面的。

　　路克弯下身来,看到门上的钥匙就插在锁孔里。他环视四周,寻找可以用来开锁

的东西。如果这时候他带着百宝箱的话，就不用这么麻烦了。

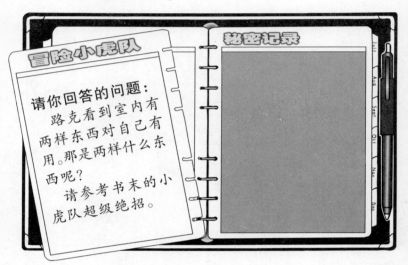

冒险小虎队

请你回答的问题：
　路克看到室内有两样东西对自己有用。那是两样什么东西呢？
　请参考书末的小虎队超级绝招。

秘密记录

　　路克打开门时，已经过了三分钟。第一次尝试，他太着急了，把塞在门缝中的报纸弄皱了。第二次尝试，他才成功地把报纸塞了过去。他又从五斗柜上的插花花束中抽出一根细小的花茎，想用它把钥匙捅出去。第一根花茎折断了，第二根又太粗，第三根才正合适。钥匙"叮当"一声落到报纸上，路克屏住呼吸，小心翼翼地把报纸抽回来。

成功了！他可以出去了。门厅很暗，路克又花费了一些时间才找到灯的开关。

路克非常清楚那人是认真的。也许他就是那个碧吉和帕特里克在地下水道里遇到的家伙。他们不该对他撒谎的，他似乎已经看穿了谎言，现在来硬的了。

保险柜藏在葡萄酒窖后面。路克知道那三个假瓶子在哪里。只要把它们抽出来一点，放满葡萄酒瓶的架子就会向两边打开，他就可以进入一个冷藏室。冷藏室的左右两边是两堵白墙壁，前面一堵墙就是保险柜的门了。

路克走向正前方的墙壁，向保险柜的拨号区域输入密码。这时候，脑后有一阵凉风吹来。路克立刻有一种被监视的不祥感觉。路克惊慌地向后望去，却没有看到什么，葡萄酒窖里的灯光总是昏暗的。

路克拼命地深呼吸，想克服心中的恐慌。爸爸把贵重的文件都保存在保险柜中。他有一次曾经提到，仅几页纸就能让一个企业破产、几百人失业。如果周围有一个盗贼，路克岂不是引狼入室？

路克清了清嗓子，颤悠悠地对着空气喊："你好？谁在那儿？"

没有动静。

路克屏住呼吸，因为他觉得自己的呼吸声太大了。这时候，任何一丝轻微的声响，都让路克心情紧张。

还是没有动静。为保险起见，路克转身向葡萄酒窖迈了一步。他的目光像雷达一样扫视着架子和瓶子。在架子之间有一些阴影，那里完全可能藏着人。但心慌的路克根本不敢走近查看。

路克决定孤注一掷了，他必须赶紧从保险柜里拿出那三个信封并及时交出去。现在，他满耳朵都是那人的威胁：聚会上就会发生一起惨案，会出人命的。

路克回到保险柜门旁，重新输入密码。按键发出轻微的电子声。他把所有的号码都输进去之后，保险柜却没有丝毫动静。

　　路克惊呆了,盯着那扇门反复琢磨。爸爸改了密码?这简直是没有想到的事情。

　　那么路克怎样才能打开保险柜呢?

　　或者他输入的密码错了。

　　密码由以下数字组成:

　　今天的日期(日和月份)

　　发现美洲的年份

　　一周后的日期(日和月份)

　　圣诞节的日子

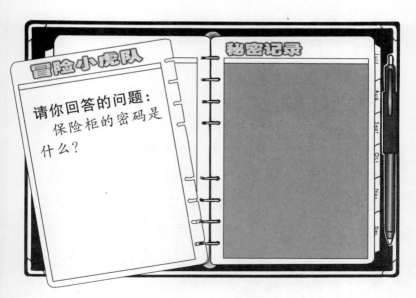

冒险小虎队

请你回答的问题:
　　保险柜的密码是什么?

秘密记录

被迫打开保险柜

路克很快就发现了他错在哪里。今天是7月29日,一周后的日子不是8月4日,而已经是8月5日了。路克取消了刚才输入的号码,又重新再试。这一次他成功了,保险柜的门"吱呀"一声打开了。

保险柜有一个设有书架的小房间那么大。保险柜从地板一直延伸到天花板。里面放满了成堆的路克看不懂的文件、文件夹、公文包和作了标记的硬纸盒。路克把三个信封放在一个写着"NYKS"字样的硬纸盒里了。他翻了两下就把那三个信封拿了出来,然后又飞快地从开着门的保险柜中走出去。

随后,一切都发生得非常快。有一个冰凉的东西打到路克的脸上,使他既看不到

东西也无法呼吸。一双大手抓住他,粗暴地把他向保险柜右边的墙上摔去。路克痛苦地跪了下来。真是祸不单行!肚子还在隐隐作痛,肩膀上又是一阵火辣辣的刺痛。

几秒钟后，路克才回过神来，能够稍稍活动活动身体。他一把扯掉脸上那又冷又湿的东西，发现手中拿的是一条湿毛巾。他立刻认出，这是妈妈挂在卫生间里的给客人们用的毛巾。

葡萄酒窖里响起匆忙的脚步声。路克现在才明白发生了什么。公文箱里的那三个信封已不在他手上了，那个袭击他的人夺走了它们。

恐惧像毒蛇似的紧紧缠绕着路克的身心，路克甚至担心剧烈跳动的心脏会使他的胸腔爆炸崩裂开来。路克颤抖着想站起来时，他的腿已经不听使唤了。他必须扶着墙才能避免再次摔倒。

空气里有一股特殊的味道。这并不是那个把他锁在台球室里的人身上的刺鼻香味，而是一种完全不同的、更加芬芳清爽的味道。路克迷惑地摇摇头。为什么东西被另外一个人抢走了？他是那个人的同谋吗？

路克从冷藏室里跌跌撞撞地走出来，

穿过葡萄酒窖,向上面走去。此时,他必须一直扶着墙,才能勉强迈动步子。如果台球室里的那个人没有拿到他想要的东西会发生什么呢?他会实践他的警告,在花园聚会上制造一起惨案吗?

碧吉和帕特里克究竟在哪儿?他必须和他们尽快会面。当路克终于爬上楼梯,向花园里走去时,他气喘得就像刚跑完一场马拉松比赛。

现在,巨人迈开大步准备离去。有人看到巨人离开,但他们都没多想什么。不是所有的人都能留到午夜或更晚,许多客人都是大忙人,没有太多的时间享乐。

巨人坐进车里,发动汽车,拐过弯曲的出口,向花园大门驶去。车子开出几条街后停住了。巨人把从路克那里抢来的东西从上衣口袋里拿了出来。

意外发生了。照片和设计图都在,却唯独缺了电脑光盘,而它恰恰是最重要的。巨人粗鲁地咒骂着,现在他别无选择,只能掉头回到花园聚会上去。

那个该死的男孩没把光盘从保险柜中取出来吗?这是最糟糕的状况了。现在,他必须逼着那男孩重新打开保险柜。这样做十分危险,他的伪装随时可能被揭穿。但巨人绝不允许在他就要给世界带来灾难之前,在他就要成为有史以来最可怕的人之前被人揭穿真相。

但是也有可能光盘就落在葡萄酒窖或者是冷藏室里了,这当然是最好的情况。这样的话,他就不需要那个男孩,只要自己过去就可以了。

此时,在花园聚会上,碧吉和帕特里克已经看出路克遭遇了可怕的事情。路克的脸色和衬衫一样苍白,细碎的汗珠布满了额头。

路克喘着粗气,用最简短的话汇报了刚才发生的事情。帕特里克用双手捂住脸,痛苦地摇着头。碧吉则张着嘴,一副难以置

信的样子。

"难道那个在下水道里追踪我们的人也在这里?"碧吉因为恐惧几乎要大叫起来。

路克点了点头:"而且还有另外一个人隐藏在客人们中间,我们知道的他都知道,我没法告诉你们更多的情况了,因为我已经被人盯上了。"

碧吉和帕特里克环视四周,他们的目光中充满了怀疑和恐惧。

三只小虎都有不好的预感。路克总是用忧虑的目光盯着手表。从他被锁在台球室里到现在已经十六分钟过去了。六分钟以前,也就是在约定的十分钟期限内,路克便急匆匆地从门厅的电话台上拿了一小条纸,在上面潦草地写下一条留言。那个陌生人只要看到这张留言,必然知道路克已经被人袭击了。

这时,碧吉突然皱起了眉头。她若有所思地咂了一下舌头。她可能看错了,或者,不,她没有看错。这里有个人的行迹很可疑。碧吉怀疑攻击自己和帕特里克的这个人就潜伏在他们身边,他混进来了。

冒险小虎队

请你回答的问题:
　碧吉认为谁行迹可疑?

秘密记录

步步进逼

碧吉小声地告诉男孩子们:"那个在下水道里袭击我们的家伙代替了真的管家,这样他就可以不受注意地在周围走动了。"

就在此刻,那个管家的目光和三只小虎的视线相遇了。他从他们的眼神中觉察到,这三只小虎已经识破了他的身份,慌乱中他的身体稍稍抽搐了一下。而就是这一下抽搐使他彻底暴露了内心的慌乱。

通常情况下,马克斯都能保持冷静。可是今晚他却接二连三地犯错误。他虽然通过定向仪找到了那只藏在下水道里的公文箱,却没有见到那三个重要的信封;他把路克逼入台球室,要路克在十分钟内交出东西,可事情偏偏又发生了变化。时间紧迫,而且他也知道,如果不能很好地完成任务,巨人会毫不手软地干掉他。此时的马克斯,他根本没想到他那从未谋面的顶头上司巨人也早已混入在花园聚会的客人中。

小虎们使原本就已紧张过度的马克斯丧失了最后的理智。这些孩子到底是什么人?他们的行为和敏锐的嗅觉完全不亚于一个职业间谍。

一个女服务员经过马克斯身边,马克斯把一个放着酒杯的托盘递给她。女服务员立刻就注意到严厉的管家竟然没戴手套,她不禁惊讶地抬了抬眉毛。

马克斯快步离开了。原来,他把真的管家击昏后,将其藏在一辆运输车里了。

马克斯用余光看到,小虎们也立刻行动起来,毫不松懈地紧跟着他。他加快脚步,为了躲开小虎们的视线,他混入了一群穿着深色套装的客人们中间。

突然,碧吉听到路克惊讶地倒抽一口冷气。她转向路克,看到他手里拿着一个电脑光盘,它原本是装在红色信封里的。

"光盘在我的上衣口袋里。"路克瞪大了眼睛。这太不可思议了,"它一定是那人袭击我时不小心滑入我的口袋的。"

"这就是说,那人手上只有照片和设计图,没有光盘。"碧吉思索着。

帕特里克并未注意到队友们没有跟上来的原因,他继续紧跟着那个假管家。在花园的边界处,马克斯纵身一跃,跨过了一簇灌木丛,他在那里藏了一辆摩托车。等帕特里克赶到时,帕特里克只能眼睁睁地看着摩托车排气管中冒出阵阵灰暗的烟雾。假管家逃跑了!

碧吉和路克正在一盏中国灯笼的光晕下,细细打量着那张从秘密间谍的公文箱里取出来的电脑光盘。突然间,不知道为什么,好像所有的人都在看着他们,谈话声安静了下来,优雅的客人们都把头转向碧吉和路克。这到底是怎么一回事?

坎平斯基先生离开一群刚刚还在高谈

阔论的客人,走到路克和碧吉身边。他温和地笑了一下,却又不安地指着路克手里的那张光盘,好像它随时都有可能变成一条会咬人的眼镜蛇似的。

"发生了什么事?这东西怎么了?"

碧吉首先回过神来,尴尬地笑了笑:"啊,没什么,里面只是音乐。"她指着台上的弦乐队,撒了个谎,"这些鬼哭狼嚎的声音不太符合我们的品味。"

路克的爸爸相信了她,理解地点点头:"但这音乐只能在路克的房间里播放,这样才不会干扰其他的客人。"

"好的。"碧吉满口答应。

"音乐……"路克在一边喃喃自语。突然,他似乎想到了什么,一把抓住碧吉的手腕,拉着她向屋里跑去。

几乎同时,一个影子紧紧地跟在帕特里克身后,现在,他亲自出马希望能通过帕特里克找到公文箱里还缺少的那部分东西。

莱昂纳德的狗还在路克的房间里,他

友好地摇着尾巴，跳向推门进来的路克和碧吉，兴奋地舔着他们的手。路克坐到电脑前的椅子上，把光盘放入凹槽中。伴随着"嚓拉嚓拉"的声响，电脑屏幕上又出现了那个棱角分明的标志。不过这一次路克没有点击这个图标，而是把它用鼠标指针拖到了一个像旧式收音机的标志上。

从光驱里传出启动光盘的声音。扬声器发出"咔嚓"一声响，一个经过人工处理的声音开始说话："您好，埃瓦尔德。或者我最好称您为'老鼠'？因为您在照片上的模样很像老鼠。我很了解您的历史，您三次很成功的入室行动，我都有用监视摄像头拍下的照片。您一直都以为监视器被关掉了，而实际上，我又把它们重新打开了。"

碧吉和路克交换了一个惊讶的眼神。他们开始明白，这可能意味着什么了。

"今天您也在经营一家生产警报装置的大公司。当然您也最清楚，如何彻底避免有人闯入一栋大楼……您的客户一定对这些照片非常感兴趣。如果您不照我说的去做，我会毫不犹豫地公开这些照片，后果您当然可以想象。现在，我想让您潜入一栋被认为是绝对保密的房子，将这张光盘放入那里的电脑中，然后输入我将要告诉您的密码。这样，您的任务就完成了。剩下的事情，电脑程序会自动完成。您若同意的话请拨以下号码，听到拨号提示音后请拨995531……"后面跟着一串长长的号码。小虎们熟悉这个手法，呼叫转移是用来掩盖真实住处的。

"我会及时告诉您激活光盘的密码。您一定认得那张设计图。那就是您要潜入的地方。如果您不知道这是什么意思，您也可以打设计图上面的电话询问。只需在以上号码后面加拨44就可以了。"

突然，路克房间的门被打开了，碧吉和路克倏地转过身子，就像正在做坏事被人抓住了似的。

帕特里克从门外进来，他奇怪地高举着双手，看起来像是受惊了。碧吉眼尖，她

很快就看到一只衣服袖口湿漉漉的拿着枪的手从门框外伸了进来。

"快交出光盘。"帕特里克嗓子很沙哑，想象得出，他的脖子被人卡住了。碧吉暗示路克快把光盘交出去。帕特里克把光盘递到门外面，却没有转身。他身体僵硬，似乎正被人强行控制着。

那人用枪示意帕特里克进入房间里并锁上门。帕特里克照做了，并低声警告自己的队友："不要轻举妄动。他是认真的。"门"砰"的一声关上了，帕特里克疲惫地倒在一张椅子上。

这时，碧吉眼前浮现出一个她在花园聚会上见过的一个人。她知道拿着枪的人是谁了。

①

②

③

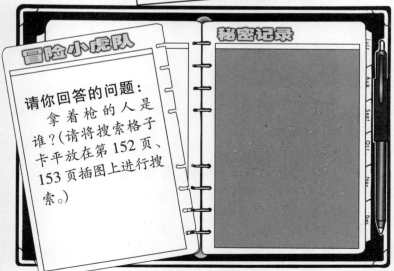

冒险小虎队

请你回答的问题：
　　拿着枪的人是谁？(请将搜索格子卡平放在第152页、153页插图上进行搜索。)

秘密记录

等待陌生人的到来

现在,他们已经清楚地知道那个参与了整个事件的人的模样。路克正准备打开电脑里的摹拟画像程序,把攻击他的那个人的大概样子画出来。

但碧吉并不认为这是小虎队目前的首要任务:"已经快十一点了。我们最好赶快出发到地铁站去。那个预定去取箱子的人肯定会出现。我们必须和他以及莱昂纳德谈谈。"

路克表示同意。帕特里克被吓得说不出话来。但路克和碧吉没给他任何选择的余地,硬把他拉起来,拖着他一起走。莱昂纳德的狗当然也一同前往。

在离别墅不远的地方,停着一辆深色

的豪华汽车。路克先是一愣，马上他就有了好主意。路克示意朋友们稍等一下，然后跑过去，和司机说了句话，再向队友们招招手，叫他们过来。

"这是我爸爸公司的车。戈林格先生送我们去地铁站。"

戈林格先生长得就像是一只有两撇胡子的大玩具熊，他说话总是让人听不清楚。

一路上，碧吉不停地喃喃低语："将会发生一件可怕的事情。那人现在找回了所有的东西……我不认为他会就此罢休。"

路克完全同意碧吉的话。这种推测使得他们心神不宁。

"那家伙突然就站到我身后……威胁我，并胁迫我到你们那里去。"车里突然响起帕特里克惊魂未定的声音。这是他被劫持以后开口说的第一句话。

"明白了，你没做错什么！"路克安慰他。

到地铁站的入口处后，三只小虎下了

车,请求戈林格先生等着他们。路克在一张纸条上潦草地写了些什么,把它折好后塞到司机的手里:"一小时后再打开,之前请别看!"戈林格先生茫然地摇了摇头,把字条放进他的蓝色上衣的口袋里。

小虎们买了票后,向地铁站的下层站台走去。三天前,一切就是从那里开始的。莱昂纳德的狗紧跟着他们,显得很兴奋。

"地铁站的管理员可能已经从监视器中注意到我们了。"路克警告队友们小心,"我们应该先藏起来。"

碧吉建议躲入哈里那天藏身的地方。路克反对,他认为躲入莱昂纳德带着他们走进的那个暗门更合适。

在一幅发黄了的画有阳光、沙滩的海报前,路克学着莱昂纳德的样子,在墙壁周围摸索着,却什么都没有找到。

还是帕特里克看出了破绽,他用手指指海报。原来,开门的机关就在海报上面,却被巧妙地掩盖了起来,没法一下子看出来。

莱昂纳德不停地在墙壁周围敲击，看来只是为了掩盖真正开关的位置。

开关实际上就是那个防晒霜瓶子。帕特里克注意到瓶子并不是印刷上去的，而是一块可以旋转的金属附着在海报上。

暗门被打开了，三只小虎进入了尘土飞扬的阶梯井。

他们蹲在阶梯上静静地等待着，直到最后一班地铁驶过。又过了十分钟，他们才谨慎地站起身来，伸展一下僵硬的四肢，鼓起勇气走向站台。

夜间照明灯的绿色微光打到墙壁上，让人感觉毛骨悚然。三只小虎踮着脚，从只开了一条缝的暗门里挤出来。路克还小心地把门固定好，以便它不会引人注意。现在他们可以行动了。

目的地是那个栅栏，哈里星期三就躲在那栅栏里面。行走在安静的通道中的时候，三个人忽然觉得行动得太晚了。他们本想躲在那个洞里，看看究竟是谁来送钱和取资料的。现在,那个陌生人已经提前来到了。

他会是谁呢?

三只小虎拐进目的地所在的通道里时,一个阴影出奇不意地从墙边走了出来。

大约离小虎们十步外的地方站着一个人,他穿着短大衣,帽子一直拉到前额。他故意站在背对着灯的位置。灯光照在他的背上,在他的身体四周形成了一圈绿色的光环,同时也使他的脸和前胸处于黑暗中,让人无法辨认。

"这可不是在玩游戏!"那个人似乎快被小虎们的大胆吓坏了。

"我们能够解释一切,而且我们需要和您谈谈。"路克的声音在颤抖,虽然他竭力想让自己平静下来。

"交出东西来,快!"那人伸出手,语气重重地警告他们,"如果你们还想玩什么愚蠢的把戏,我可要大发脾气了。"

碧吉深吸了一口气,飞快地把事情的

大概说了一遍："这……我们……那么……我们看到了所有的事情。您被人勒索，您被要求闯入什么地方。但是那东西……有人把它从我们手里抢走了。不是那个把它带给你的人，而是别的什么人，一个男人。我们认得他的脸。"

路克用胳膊肘悄悄地顶了碧吉一下，可还是太晚了。话已出口，她的声音还在通道里回响着。

那个穿着短大衣的人显然吓了一跳。

"一定是巨人。"那人惊恐地叫了起来。

在小虎们身后，一阵脚步声越来越近。在通道的圆形入口处，出现了莱昂纳德的剪影。不容置疑，那正是他乱蓬蓬的头发、他那弯着腰的姿势和翻飞的大衣。

或者不是他？

碧吉悄悄暗示男孩子们要小心。

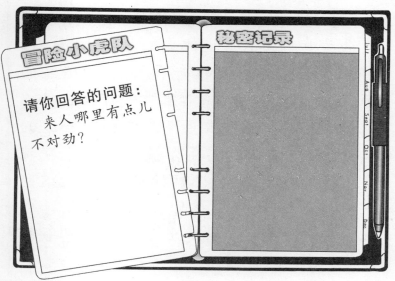

一个灭绝人性的计划

确实,小虎们面前站着的并不是地铁站里的"野兽",而只是一个假冒莱昂纳德的人。

碧吉最先作出反应,她拽着两个男孩,卧倒在地。有人在他们上方移动,假莱昂纳德舞动着的大衣拂过他们的头顶。突然,他的一只手像鹰爪似的垂下来,抓住路克的领子,把他拉起来,像活盾牌一样挡在自己身前。假莱昂纳德压低声音威胁另一边的人,那人应该就是埃瓦尔德了:"你现在就按照我的吩咐去做。不然的话,我就把这小家伙整死,下一个就是你的女儿。"

"不!"埃瓦尔德发出了一声窒息般的哀嚎。

假莱昂纳德从大衣下面拿出公文箱里面的那三个信封,把它们扔给埃瓦尔德。埃瓦尔德接住了,并目不转睛地看着眼前的怪人。

"您就是巨人!"埃瓦尔德惊讶地小声询问。

"我是谁无所谓。你现在就走,否则你和这小家伙就都玩完了。"

埃瓦尔德打开设计图,在灯光下大致看了一下。刹那间,失望与恐惧清楚地写在他的脸上。

"不!"他不停地摇头,不停地后退。

巨人笑了起来,那是一种魔鬼般的笑声。

"没门。不管我照不照你的话去做,你本来就不想放过我们中的任何一个人。"

"是的。这就意味着你们所有的人都只有一个小小的机会。"巨人冷冷地说。

碧吉从来没有听到过如此残酷的声音。

"如果我去做的话,成百上千的人都会死去。"

巨人却表现出一副根本无所谓的样子。

"你想要干扰设备的计算机操作系统，从而使引导机制崩溃而不受控制。"埃瓦尔德简直不敢相信这样疯狂的举动。

"而你可不敢洗手不干。您干这个比干别的能干多了!"说着，巨人发出一阵可怕的冷笑。

"洪水会造成极大的灾难!"

但这些话丝毫没有触动巨人。他揪着路克，就像在摆布一个提线木偶。

"出发吧!一小时内好戏就要开演了。"

埃瓦尔德思考片刻后，还是坚决地摇了摇头:"不，我不做这件事。"

巨人把枪上了膛。

碧吉和帕特里克不约而同地尖叫起来。

这时，路克却想到了另外一个人。

真莱昂纳德怎么样了?巨人袭击了他，并抢走了他的大衣?

"现在就走!"巨人突然抬高了声音。可

以肯定,他的话是当真的。

"真是疯了!"埃瓦尔德低声诅咒。

巨人就跟没听到他说话一样,黑洞洞的枪口开始无情地吞噬着每一个人的勇气。

埃瓦尔德的脸上写满了悲哀和绝望,他迟疑着,最后还是吃力地、艰难地迈动了脚步。

碧吉和帕特里克还一直趴在地上。巨人扯着路克的领子,转向他们。

"站起来……跟我走。你们知道这儿有个出口,对不对?"

"是的。"碧吉只能乖乖地承认。

"带我去!"

碧吉和帕特里克蹒跚地站起来,开始,他们的腿都没有站稳。

"你们不许把脸转向我!"巨人厉声命令。

这时,巨人的手机响了。他把路克推向帕特里克和碧吉,用枪口指着他们。巨人从兜里掏出手机,按了接听键后,只听了对方片刻的说话声,他便冷笑着按动了一个在手机一侧的按钮。扬声器中立刻发出一种爆炸的声音,爆炸声中还混杂着一声痛苦的惨叫声,然后通信就中断了。

"这只是我的一个间谍,他再也没用了。"巨人冷酷的嘴角露出了凶恶的笑容。

事后,三只小虎都不记得,他们当时是怎么走到那幅画着阳光、沙滩的海报画跟前的。帕特里克打开了暗门,巨人满意地点点头带着埃瓦尔德走了进去:"不许跟着我们。懂吗?"

小虎们只能说"是"。

"你们在这儿等着就不会有事!"从他说后半句话的语调中可以听出,他说的完全是反话。暗门从里面关上了,巨人消失了。

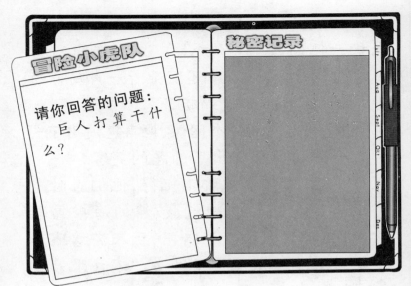

请你回答的问题：
　　巨人打算干什么？

秘密记录

168

噩梦醒来是早晨

"那人疯了。"路克突然尖叫起来,"完全疯了。他想要摧毁新水库,淹掉整座城市。他不需要炸药,只需搞乱计算机的操作系统就能做到。"

"必须马上报警!"碧吉开始找她的手机。但因为坎平斯基太太精致的裙子上没有口袋,所以手机落在路克家里了。而帕特里克的手机也放在留在路克家的牛仔裤里了,路克的百宝箱也没带。此刻,在地铁通道里,他们什么也做不了。这就是说,他们得从秘密出口走出去。

巨人不可能一直都站在阶梯井上。碧吉勇敢地握住秘密机关,试图打开门,可是门没有动。巨人肯定从里面反锁了门,他想

169

让他们死在下面。洪水会淹没一切，也会淹死他们。

"莱昂纳德在哪儿？"路克小声地询问，他有一种不好的预感，"他一定出事了。"

"这个巨人为什么知道莱昂纳德？他怎么能这么快地装扮成他？"碧吉到现在也没弄明白这是怎么回事。

"莱昂纳德警告过我们关于公文箱的事。他一定清楚这件事！"帕特里克插嘴道。

浑身乱毛的狗在碧吉的腿边"呜呜"地哀鸣。碧吉看着它，摸摸它的脑袋。马上，她有了一个好主意。

"去找你的主人。"碧吉命令那条狗，"莱昂纳德在哪里？去找他！"她用手比画着扔石子的动作。狗歪着头，想了一下，接着又走来走去地叫起来，然后它好像明白了碧吉的话，飞快地跑了出去。三只小虎紧跟在它后面。

狗把他们带回到站台上，跑向通道入口处的一扇灰色的门前。它在那里拼命地用爪子抓着门,不断地向上跳跃着,试着拉下门把手。路克走到它旁边,打开了门。

门后面是一条通道,很窄,只能让一个人侧身走过。在很远的地方,天花板上亮着灯。

狗立刻跳了进去,一溜烟似的不见了。小虎们没法很快跟上它,他们只能侧着身子从通道中挤过去。还好,通道不久就变宽敞了,他们可以正常地行走了。

从狗发出的哀鸣和喘息声中小虎们知道，它一定发现了什么东西。再走几步他们就见到了地板上的一堆衣服。再细看，发现莱昂纳德坐在地上，背靠在墙上，呼吸困难。他慈爱地抱着他的狗，就像抱着一个久别的亲生婴儿。

"他……他把我打倒了！"莱昂纳德有气无力地告诉小虎们，"还抢走了我的大衣和假发！"

莱昂纳德的光头上有一条很宽而且很难看的红色疤痕。他扭过脸去，不想让小虎们看到。

"他是……我的兄弟。"这游丝般的声音是从莱昂纳德的两瓣厚嘴唇间挤出来的，"我怕阳光，是他建起了我的地下世界……我的兄弟想让我偶尔帮一下他的人，他们有时有东西要交接。我认为那些东西肯定是偷来的。"莱昂纳德绝望地叹了口气，"或者比这更糟糕？"

"更糟糕！"碧吉肯定了他的推测。

"我一生总是不幸,还到处给别人带来不幸。"莱昂纳德像是一个垂死的人,发出绝望的哀叹。

"您能拯救很多人!"路克激动地鼓励他振作起来,"我们必须到上面去报警。您的兄弟想要毁掉水库,放泄洪水,淹没这个城市。"

莱昂纳德想要站起来,却没能做到。

"这很容易。你们……你们只要跟着罗克斯!"他拍拍狗的身体。

"您呢?您也要上去!"碧吉试着搀扶莱昂纳德的胳膊,把他扶起来。可他摇摇头拒绝了。

"让我待在这儿……走……别管我……请别跟任何人提起我。我曾经不得不忍受那么多的嘲笑。我的王国在这城市下面的黑暗之中。在这下面,我帮助过许多人。还有,在这个城市中,许多房子里都留下了我的足迹,却没有人知道我去过那里。"

"您必须去医院!"路克焦急万分。

173

"请离开吧,阻止我的兄弟!"莱昂纳德催促三只小虎赶紧离开,"请吧!"他还说出了他兄弟的名字,让小虎们尽快告诉警察。

罗克斯跑在前面,不停地向小虎们吠叫,示意他们跟着它。三只小虎依依不舍地离开了莱昂纳德。

罗克斯不断地转过头来,以确定他们是否真的跟在它身后。它把他们带到一架梯子前,顺着梯子就可以进入一座通向地面的陡峭的矿井。当三只小虎都爬上去以后,那只狗就尽可能快地跑回主人的身边去了。

通道的另一端是一个仓库,里面放满了清扫街道的机器。小虎们从里面出来,来到大街上,找到一个电话亭,拨通了紧急报警电话,向警察报告了所有他们知道的情况。

当三只小虎蹒跚地走回地铁站的入口处时,已个个满身尘土、精疲力竭。坎平斯基先生的司机戈林格先生正在读路克的字条,内容是委托他报警。但现在这已没有必要了。

在回路克家别墅的路上,碧吉犹豫不决地问两个男孩:"我们是否要叫人来帮助莱昂纳德呢?叫一辆救护车?"

"他不想这样,而我们必须尊重他。"虽然感觉很遗憾,但路克认为他们必须照"朋友"的话去做。

路克家的花园聚会活动还在进行,聚会的客人们在音乐的陪伴下翩翩起舞。

小虎们悄悄地溜回路克的房间。路克把床让给了碧吉,自己睡在沙发上。而帕特里克就睡在房间角落里支起的吊床上。

星期天,坎平斯基家里一片寂静。小虎们快到中午才醒来。路克给他的朋友们找来了游泳衣,因为天气炎热,他们决定去游泳池里玩个痛快。

坎平斯基先生早已经起来了,他一边接听手机,一边在游泳池边走来走去。

　　三只小虎听到他总是在说"不可思议"。通话结束后,他满脸惊诧地望着小虎们。

　　"这件事并没有得到官方的证实,而且是绝对保密的。昨晚竟有人试图破坏新的水力发电站。"

　　小虎们装出一副很惊讶的样子。

　　"有人报告了警察,才避免发生悲剧。

警方还发现了一张带有病毒的光盘,而这病毒的确可以摧毁发电站的计算机操作系统。"

为了装得更逼真,路克还夸张地张大了嘴巴。

"对我来说最不可思议的是,整件事情的幕后指使者昨天也来参加了我家的花园聚会。从他车里找出的证据证明,他就是攻击事件的幕后策划者。他的同谋,一个可能曾经效力于中央情报局的人,也被查出来了。由于不可知的原因,他的手机突然爆炸,使他从行驶中的摩托车上摔了下来。但幸运的是,他还活着。"路克的爸爸不断地摇着头,"警察非常想知道是谁给他们报警的,这真是一些可爱的人物。"

三只小虎装出一副毫不知情的样子。

"嘿,这么重大的案子,你们小虎队根本是无法插手的。"从坎平斯基先生的语调中可以听出,他一直把小虎队的工作当成儿戏。

"是的,是的。"路克满口承认。

坎平斯基先生走后,三只小虎重新跳入游泳池里。现在,他们急需冷静一下过度激动的心情。

两个星期后,碧吉得到了一个好消息,她又可以帮助别人看孩子赚零花钱了。

这家有四个小孩,他们可把碧吉折腾得够苦了。这天两个男孩正在跟碧吉的头发作对,两个女孩则在比赛谁能用木夹子把碧吉夹得更疼。

就在这时,发生了一件碧吉永远都预料不到的事。主人家地下室的门突然打开了,莱昂纳德整个人出现在他们面前。

像壁虎一样挂在碧吉身上的四个孩子不约而同地撒手掉了下来,睁圆了眼睛盯着面前这个毛发浓密的怪人。

"你们要乖乖的,因为碧吉是受我保护的。如果你们再淘气的话,我会再来的。"他一边说一边微笑着向碧吉眨了眨眼睛,然后就像他神秘出现时一样,神秘地消失了。

从那天起，四个淘气鬼变成了世界上最听话的孩子。而小虎们也知道了莱昂纳德安然无恙，真希望以后有机会再遇到他。

小虎队盟友
破案成绩卡

同谍在行动

第四名小虎队成员

书中共有 27 个谜题,你能破解多少个谜题?

得到 23 分以上 □ 非常好

得到 20 分 □ 很好

得到 15 分 □ 好

得到 10 分 □ 一般

得到 5 分 □ 弱

得到 1 分 □ 没有通过

请你在上面的评分阶梯表中填上正确的破案成绩

小虎队秘密记录

XIAOHUDUI
MIMI JILU

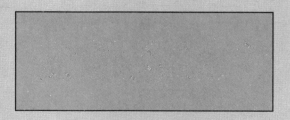

小虎队超级绝招

什么是间谍

间谍的任务是搜集情报，并将情报秘密地告知他的委托人。

给重要信息加上复杂的密码是间谍与密探常用的手段之一，他们用这种方法给信息加密。如果信息落入他人手中，除非破解了密码，否则无法阅读信息。即使使用计算机，破解密码也是很困难的。

发送侦查到的情报时，间谍通常多用发报机、计算机网络、微型胶卷，极少用书面形式发送情报。

什么是双重间谍

双重间谍不仅仅为他所效力的国家工作，同时也为他从事间谍活动的国家工作。他这样做通常不是因为身份暴露后被人胁迫，就是因为他想用此方法获得更多的钱。

什么是间谍学校

　　间谍不应该引人注意。他们在从事间谍活动的国家里的言行举止应该和当地人一样。他们必须很好地掌握当地语言、了解当地的风土人情、通晓这个国家的文化历史。

　　例如，在几十年前的苏联，有一座完全仿照北美风格建起来的城市。在这里，间谍们学习美国人的生活常识和习惯，比如美国人吃什么？穿什么？在业余时间干什么？他们的行为方式是什么样的等等。

什么是苏格兰场

　　英国的刑警部。它的名字来源于刑警部曾经所在的建筑物。

什么是 FBI

FBI 就是美国的联邦调查局。

什么是 Interpol

Interpol 是国际刑警组织。

国际刑警组织的总部设在法国的里昂，在它的罪犯卡片资料中储存了二十多万个犯罪嫌疑人的信息。

什么是克格勃

即国家安全委员会(前苏联秘密警察组织)。它与美国中情局对立。克格勃秘密间谍的任务就是尽量多地了解美国的军事计划。

什么是骑警

特指加拿大的骑警。

在加拿大有些地方,骑警甚至乘坐狗拉雪橇。因为这在当地是最快的行进方式。

什么是中情局

中情局是美国的中央情报局的简称。一些来自世界各地的间谍在为中情局工作，并搜集所有关系到该国国家安全的重要信息。

什么是监视陷阱

通常为了监视某个嫌疑人，间谍必须使用很多技巧，其目的就在于嫌疑人最终会不知不觉地走进间谍设下的陷阱。例如：间谍为了监视一栋房子，经常假扮成擦洗玻璃的清洁工或者架起一个"施工帐篷"，并在地下道窨井盖上放置一个障碍物，看起来好像他们在那里施工。

实际上，侦探或者刑事警察有时也会藏在某个地方，并从那里观察一栋房子、一家银行、一条街道或是一辆汽车。

什么是卧底

卧底就是潜入敌方或犯罪集团内部的联络员。例如：一个在暗中给警察提供信息的罪犯，他通知警察在哪里可能有犯罪事件发生,或者幕后指使者是谁。

卧底也可能是打入犯罪集团内部的情报人员,目的是为了搜集情报。

什么是线索保护

即保留作案现场的线索。

例如：保护在门上发现的一道形状特殊的划痕,并在上面提取指纹。此后,在一个嫌疑犯身上发现了一把螺丝刀,如果刀尖与划痕完全吻合,那么,这个疑犯的犯罪可能性就很大。

隐藏法

——永远不要戴闪光的东西！这些光亮会让你暴露身份。

——永远不要紧跟着别人跑。如果跟得太紧，你就不能突然停住脚步！

——不要站在明亮的街灯下！

——不要靠近认识你的狗！它们会暴露你的伪装。

什么是阿尔卡特拉茨

阿尔卡特拉茨是世界上戒备最森严的监狱。它在美国福卡特拉茨的一个小岛上。小岛四周是茫茫大海，大海中有数不清的鲨鱼。阿尔卡特拉茨监狱别名"岩石"，防范严密，条件恶劣，是美国最有名的黑窄。1967年，该监狱被关闭。

鉴定科的任务是什么

警察局鉴定科的任务是：找出尽量多的关于作案者的信息。他们在作案现场查找指纹和某个罪犯惯用的作案手段，搜集目击者对作案人的描述并做成照片存档，寻找典型的线索等。如果这些线索指向警察局电脑档案中的某个罪犯，则将对他展开调查。

如何打开一扇锁着的门

如果钥匙插在门外面，可以使用以下技巧：从门缝下掘一张纸伸出去，越远越好。用一根金属丝或细小的棍棒把钥匙捅出去。钥匙落在纸上，再把它拉到房间里即可。

如何打开封好的信封，而不被破坏

把信封置于蒸气上方，使胶水溶解。

但要注意：这种做法是违法的，因为邮件和信件的隐私权受到法律的保护。

作者

名：托马斯

姓：布热齐纳

生日：1月30日

头发颜色：棕色

眼睛颜色：棕色

特征：大髭须

我喜欢：

饮食：中式米饭和意大利面条

饮料：所有一切酸的和彩色的饮品

颜色：红色

动物：我的狗——大菲

音乐：抑扬顿挫

课程：休假

业余爱好：收集钟表，喜欢拍一些疯狂的照片

我讨厌：无聊透顶的人、牛皮大王、蠢货

我梦想的职业：已成为现实

我最大的愿望：做一次月球旅行

Tomas Mesite

（托马斯·布热齐纳）

图字：11－2003－136 号

图书在版编目（CIP）数据

间谍在行动/［奥］托马斯·布热齐纳著;江澜,谭方译.—杭州:浙江少年儿童出版社,2005.1(2010.3 重印)

（超级版冒险小虎队）
ISBN 978-7-5342-3370-8

Ⅰ.间… Ⅱ.①托…②江…③谭… Ⅲ.儿童文学-侦探小说-奥地利-现代 Ⅳ.I521.84

中国版本图书馆 CIP 数据核字（2007）第 015171 号

Ein Superfall für dich und das Tiger-Team. Der Koffer des Geheimagenten　Thomas Brezina
Copyright © 2003 by Egmont Franz Schneider Verlag GmbH, München
Chinese language edition arranged through HERCULES Business & Culture Development GmbH, Germany
www. schneiderbuch. de　　www. thomasbrezina. com

策 划 人 袁丽娟 责任编辑 袁丽娟 美术编辑 赵　洋
装帧设计 裤　兜 解密制作技术 阙　云

超级版冒险小虎队

间谍在行动

［奥地利］托马斯·布热齐纳 著

维尔纳·埃曼 插图

江　澜 谭　方译

浙江少年儿童出版社出版发行
（杭州市天目山路 40 号）
浙江新华数码印务有限公司印刷　　全国各地新华书店经销
开本 787×1092　1/32　环扉 1　印张 6.25　字数 72000　印数 496246—506270
2005 年 1 月第 1 版　　2010 年 3 月第 37 次印刷

ISBN 978—7—5342—3370—8　　　　定　价:12.00 元
（如有印装质量问题,影响阅读,请与购买书店联系调换）